小李飞刀[1]

多情剑客无情剑 中

古 龙 著

河南文艺出版社
·郑州·

古龙

1938—1985

作为华语小说界一代宗师，“古龙”二字本身已成为一个文化符号。

古龙以惊人的才华，创作出《小李飞刀》《陆小凤》《楚留香》等七十多部精彩绝伦的经典。这些作品中涌动着永恒的热血、自由和生命力，不仅征服了一代代读者，更引发了巨大的文化浪潮，被无数次改编为影视、游戏、动漫，风靡整个中文世界，半个世纪风行不衰。

古龙为人，像他笔下的英雄们一样，豪气干云、放浪形骸、嗜酒如命、风流倜傥。其传奇一生的尽头，在医生下达严禁饮酒的告诫之后，豪饮三天三夜，大醉归西。

古龙是孤独的，一颗滚烫狂放的自由灵魂，与冷漠的现实世界显得那么格格不入；古龙又是幸运的，无数读者通过他的作品与他成为了知己。

中文世界如果没有古龙，将多么寂寞！没有读过古龙的人生，将多么寂寞！

前　言

《多情剑客无情剑》虽已结束了，但李寻欢、阿飞、林诗音、林仙儿，他们之间却仍有许多动人的故事，尤其是李寻欢，他的命运更令人关心。因为他那种伟大的人格，已永远活在人心里，所以我现在再写《铁胆大侠魂》[1]，让关心他们的读者能完整地看到他们多姿多彩、可歌可泣的一生。

古　龙

1　最初出版时，第二十六章开始即为《铁胆大侠魂》。1978年后，古龙不再提《铁胆大侠魂》。——编者注

目　录

第二十六章

小店中的怪客

秋，木叶萧萧。

街上的尽头，有座巨大的宅院，看来也正和枝头的黄叶一样，已到了将近凋落的时候。

那两扇朱漆大门，几乎已有一年多未曾打开过了，门上的朱漆早已剥落，铜环也已生绿锈。

高墙内久已听不到人声，只有在秋初夏末，才偶然会传出秋虫低诉、鸟雀啾啁，却更衬出了这宅院的寂寞与萧索。

但这宅院也有过辉煌的时候，因为就在这里，已诞生过七位进士、三位探花，其中还有位惊才绝艳、盖世无双的武林名侠。

甚至就在两年前，宅院已换了主人时，这里还是发生过许多件轰动武林的大事，也已不知有多少叱咤风云的江湖高手葬身此处。

此后，这宅院就突然沉寂了下来，它两代主人忽然间就变得消息沉沉，不知所踪。

于是江湖间就有了种可怕的传说，都说这地方是座凶宅。

凡是到过这里的人，无论他是高僧，是奇士，还是倾国倾城的绝色，只要一走进这大门，他们这一生就不会有好结果。

现在，这里白天早已不再有笑语喧哗，晚上也早已不再有辉煌灯光，只有后园小楼上的一盏孤灯终夜不熄。

小楼上似乎有个人在日日夜夜地等待着，只不过谁也不知她究竟是在等待着什么。

后墙外，有条小小的弄堂，起风时这里尘土飞扬，下雨时这里泥泞没足，高墙挡住了日色，弄堂里几乎终年见不到阳光。

但无论多卑贱、多阴暗的地方，都有人在默默地活着。

这也许是因为他们根本没有别处可去，也许是因为他们对人生已厌倦，宁愿躲在这种地方，被世人遗忘。

弄堂里有个鸡毛小店，前面卖些粗粝饮食，后面有三五间简陋的客房，店主人孙驼子是个残废的侏儒。

他虽然明知这弄堂里绝不会有什么高贵的主顾，但却宁愿在这里等着些卑贱的过客，进来以低微的代价换取食宿。

他宁愿在这里过他清苦卑贱的生活，也不愿走出去听人们的嘲笑，因为他已懂得无论多少财富，都无法换来心头的平静。

他当然是寂寞的。

有时他也会遥望那巨宅小楼上的孤灯，自嘲地默想："小楼上的人，纵然锦衣玉食，但她的日子也许比我过得还要痛苦寂寞！"

一年多前，有一日黄昏的时候，这小店里来了位与众不同的客人，其实他穿的也并不是什么很华贵的衣服，长得也并不特别。

他身材虽很高，面目虽也还算得英俊，但看来却很憔悴，终年都带着病容，而且还不时弯下腰咳嗽。

他实在是个很平凡的人。

但孙驼子第一眼看到他时，就觉得他有许多与众不同之处。

他对孙驼子的残废没有嘲笑，也没有注意，更没有装出特别怜悯同情的神色。

这种怜悯同情有时比嘲笑还要令人受不了。

他对于酒食既不挑剔，也不赞美。他根本就很少说话。

最奇怪的是，自从他第一次走进这小店，就没有走出去过。

第一次来的时候，他选了角落里的一张桌子坐下，要了一碟豆干、一碟牛肉、两个馒头和七壶酒。

七壶酒喝完了，他就叫孙驼子再加满，然后就到最后面的一间屋子里歇下，直到第二天黄昏时才走出来。

等他出来时，这七壶酒也已喝光了。

现在，已过了一年多，每一天晚上他还是坐在角落里那桌子上，还是要一碟豆干、一碟牛肉、两个馒头和七壶酒。

他一面咳嗽一面喝酒，等七壶酒喝完，他就带着另七壶酒回到最后面那间屋子里，一直到第二天黄昏才露面。

孙驼子也是个酒徒，对这人的酒量他实在佩服得五体投地，能喝十四壶酒而不醉的人，他一生中还未见到过。

有时他也忍不住想问问这人的姓名来历，却还是忍住了，因为他知道即使问了，也不会得到答案。

孙驼子并不是个多嘴的人。

只要客人不拖欠酒钱，他不愿意开口。

这么样过了好几个月，有一阵子天气特别寒冷，接连下了十几天雨，晚上孙驼子到后面去，发现那间屋子的门是开着的，这奇怪的客人已咳倒在地上，脸色红得可怕，简直红得像血。

孙驼子扶起了他，半夜三更去替他抓药、煎药，看顾了他三天，三天后他刚起床，就又开始要酒。

那时孙驼子才知道这人是在自己找死了，忍不住劝他："像你这样喝下去，任何人都活不长的。"

这人却只是淡淡地笑了笑，反问他："你以为我不喝酒就能活得很长么？"

孙驼子不说话了。

但自从那天之后，两人就似已变成了朋友。

没有客人的时候，他就会找孙驼子陪他喝酒，东扯西拉地闲聊着，孙驼子发现这人懂得可真不少。

他只有一件事不肯说，那就是他的姓名来历。

有一次孙驼子忍不住问他："我们已是朋友，我该怎么称呼你呢？"

他迟疑了半晌，才笑着回答："我是个酒鬼，不折不扣的酒鬼，你为什么不叫我酒鬼呢？"

于是孙驼子又发现这人必定有段极伤心的往事，所以连自己的姓名都不愿提起，情愿将一生埋葬在酒壶里。

除了喝酒外，他还有个奇怪的嗜好。

那就是雕刻。

他手里总是拿着把小刀在刻木头，但孙驼子却从不知道他在刻什么，因为他从未将手里刻着的雕像完成过。

这实在是个奇怪的客人，怪得可怕。

但有时孙驼子却希望他永远不要走。

这天早上，孙驼子起床时就发觉天气已愈来愈凉了，特别从箱子里找出件老棉袄穿上，才走到前面。

这天早上也和别的早上没什么两样，生意还是清淡得很，几个赶大车的走了后，孙驼子就搬了张竹凳坐到门口去磨豆腐。

他刚坐下就看到有两人骑着马从前面绕过来。

弄堂里骑马的人并不多，孙驼子也不禁多瞧了两眼。

只见这两人都穿着杏黄色的长衫，前面一人浓眉大眼，后面一人鹰鼻如钩，两人颔下都留着短髭，看来只有三十多岁。

这两人相貌并不出众，但身上穿的杏黄色长衫却极耀眼，两人都没有留意孙驼子，却不时仰起头向高墙内探望。

孙驼子继续磨他的豆腐。

他知道这两人绝不会是他的主顾。

只见两人走过弄堂，果然又绕到前面去了，可是没过多久，两人又从另一头绕了回来。

这次两人竟在小店前下了马。

孙驼子脾气虽古怪，毕竟是做生意的人，立刻停下手问道："两位可要吃喝什么？"

浓眉大眼的黄衫人道："咱们什么都不要，只想问你两句话。"

孙驼子又开始磨豆腐，他对说话并不感兴趣。

鹰鼻如钩的黄衫人忽然笑了笑，道："咱们就要买你的话，一句话一钱银子如何？"

孙驼子的兴趣又来了，点头道："好。"

他嘴里说着话，已伸出了一根手指头。

浓眉大眼的黄衫人失笑道："这也算一句话么？你做生意的门槛倒真精。"

孙驼子道："这当然算一句话。"

他伸出了两根指头。

鹰鼻人道："你在这里已住了多久？"

孙驼子道："二三十年了。"

鹰鼻人道："你对面这座宅院是谁的？你知不知道？"

孙驼子道："是李家的。"

鹰鼻人道："后来的主人呢？"

孙驼子道："姓龙，叫龙啸云。"

鹰鼻人道："你见过他？"

孙驼子道："没有。"

鹰鼻人道："他的人呢？"

孙驼子道："出门了。"

鹰鼻人道："什么时候出门的？"

孙驼子道："一年多以前。"

鹰鼻人道："以后有没有回来过？"

孙驼子道："没有。"

鹰鼻人道："你既未见过他，怎会对他知道得如此详细？"

孙驼子道："他们家的厨子常在这里买酒。"

鹰鼻人沉吟了半晌，道："这两天有没有陌生人来问过你的话？"

孙驼子道："没有……若是有，我只怕早已发财了。"

浓眉大眼的黄衫人笑道："今天就让你发个小财吧。"

他抛了锭银子出来，两人再也不问别的，一起上马而去，在路上还是不住探首向高墙内窥望。

孙驼子看着手里的银子，喃喃道："原来有时候赚钱也容易得很……"

他转过头，忽然发现那"酒鬼"不知何时已出来，正站在那里向黄衫人的去路凝视着，面上带着种深思的表情，也不知在想什么。

孙驼子笑了笑道："你今天倒早。"

那"酒鬼"也笑了笑，道："昨天晚上我喝得快，今天一早就断粮了。"

他低下头，咳嗽了一阵，忽然又问道："今天是什么日子了？"

孙驼子道："九月十四。"

那"酒鬼"苍白的脸上忽又起了一阵异样的红晕，目光茫然凝视着远方，沉默了许久，才慢慢地问道：“明天就是九月十五了么？”

这句话实在问得很多余，孙驼子不禁笑道：“过了十四，自然是十五。”

那“酒鬼”似乎想说什么，却又弯下腰去，不停地咳嗽起来，一面咳嗽，一面指着桌子的空酒壶。

孙驼子叹了口气，摇摇头道：“若是人人都像你这样喝酒，卖酒的早就发财了。”

黄昏时，后园的小楼上就有了灯光。

那“酒鬼”早就坐在他的老地方开始喝酒了。

第二十七章

小店又来怪客

今天那“酒鬼”看来似乎有些异样，他的酒喝得特别慢，眼睛特别亮，手里没有刻木头，而且还特地将他桌上的蜡烛移到别的桌上。

他的眼睛一直在看着门，似乎是在等人的模样。

但戌时早已过了，小店里却连一个主顾也没有。

孙驼子长长伸了个懒腰，打着呵欠道：“今天看样子又没有客人上门了，还是趁早打烊吧，也好陪你喝两杯。”

那“酒鬼”却摇了摇头，道：“别着急，我算定了你今天的买卖必定特别好。”

孙驼子道：“你怎么知道？”

那“酒鬼”笑了笑，道：“我会算命。”

他果然会算命，而且灵得很，还不到半个时辰，小店里果然一下子就来了三四批客人。

第一批是两个人。

一个是满头白发苍苍，手里拿着旱烟的蓝衫老人。

还有一个想必是他的孙女儿，梳着两条又黑又亮的大辫子，一双水汪汪的大眼睛却比辫子还要黑，还要亮。

第二批也是两个人。

这两人都是满面虬髯，身高体壮，不但装束打扮一模一样，腰上挂的刀也一样，两人就像是一个模子里铸出来的。

第三批来的人最多，一共有四个。

这四人一个高大，一个矮小，一个紫面的年轻人肩上居然还扛着根长枪，还有个却是穿着绿衣裳、戴着金首饰的女子，走起路来一扭一扭的，看起来就像是个大姑娘，论年龄却是大姑娘的妈了。

孙驼子只怕她一不小心会把腰扭断。

最后来的只有一个人。

这人瘦得出奇，也高得出奇，一张比马脸还长的脸上，生着巴掌般大小的一块青记，看起来有点怕人。

他身上并没有佩刀、挂刀，但腰围上鼓起了一环，而且很触目，显然是带着条很粗很长的软兵刃。

小店里一共只有五张桌子，这四批人一来立刻就全坐满了，孙驼子忙得团团乱转，只希望明天的生意不要这么好。

只见这四批人都在喝着闷酒，说话的很少，就算说话，也是低音细语，仿佛生怕被别人听到。

孙驼子只觉得这些人每个都显得有些奇怪，这些人平日本来绝不会到他这种鸡毛小店里来的。

喝了几杯酒，那肩上扛着枪的紫面少年眼睛就盯在那大辫子姑娘身上了，辫子姑娘倒也大方得很，一点也不在乎。

紫面少年忽然笑道："这位姑娘可是卖唱的吗？"

辫子姑娘摇了摇头，辫子高高地甩了起来，模样看来更娇。

紫面少年笑道："就算不卖唱，总也会唱两句吧，只要唱得好，爷们重重有赏。"

辫子姑娘抿着嘴一笑，道："我不会唱，只会说。"

紫面少年道："说什么？"

辫子姑娘道："说书，说故事。"

紫面少年笑道："那更好了，却不知你会说什么书？后花园才子会佳人？宰相千金抛绣球？"

辫子姑娘又摇了摇头，道："都不对，我说的是江湖中最轰动的消息，武林中最近发生的大事，保证又新鲜，又紧张。"

紫面少年拊掌笑道："妙极妙极，这种事我想在座的诸君都喜欢听的，你快说吧。"

辫子姑娘道："我不会说，我爷爷会说。"

紫面少年瞪了那老头子一眼，皱着眉道："你会什么？"

辫子姑娘眼珠子一转，嫣然道："我只会替爷爷帮腔。"

她眼睛这么一转，紫面少年的魂都飞了。

那绿衣妇人的脸早已板了起来，冷笑道："要说就快说，飞什么媚眼？"

辫子姑娘也不生气，笑道："既然如此，爷爷你就说一段吧，也好赚几个酒钱。"

老头子眯着眼，喝了杯酒，又抽了口旱烟，才慢吞吞地说道："你可听说过李寻欢这个人？"

除了那紫面少年外，大家本还不大理会这祖孙两人，但一听到"李寻欢"这名字，每个人的耳朵都竖了起来。

辫子姑娘也笑道："我当然听说过，不就是那位仗义疏财、大名鼎鼎的小李探花吗？"

老头子道："不错。"

辫子姑娘道："听说，小李飞刀，例不虚发，直到今日为止，还没有一个人能躲开过，这句话不知道是真是假？"

老头子"呼"地将一口烟喷了出来，道："你若不相信，不妨去问问'平江'百晓生，去问问五毒童子，你就知道这句话是真是假了。"

辫子姑娘道："百晓生和五毒童子岂非早就全都死了吗？"

老头子淡淡道："不错，他们都死了，就因为他们不相信这句话。"

辫子姑娘伸了伸舌头，娇笑道："我可不敢不相信这句话，不相信这句话的只怕都是傻瓜。"

那面带青记的瘦长汉子鼻孔里似乎低低"哼"了一声，只不过大家都已被这祖孙两人的对答所吸引，谁也没有留意他。

只有那"酒鬼"伏在桌上，似已醉了。

老头子又抽了两口旱烟，喝了口茶，才接着道："只可惜像李寻欢这样的英雄豪杰，如今也已死了。"

辫子姑娘愕然道："死了？谁有那么大的本事能杀了他。"

老头子道："谁也没有那么大的本事，有本事杀他的只有一个人。"

辫子姑娘道："谁？"

老头子道："就是他自己！"

辫子姑娘愣了愣，又笑道："他自己怎么会杀死自己呢？我看他一定还活在世上。"

老头子长长叹了口气，道："就算他还活在世上，也和死差不多了……哀莫大于心死，可叹呀可叹，可惜呀可惜……"

辫子姑娘也叹了口气，沉默了半晌，忽又问道："除了他之外，还有什么人可称得上是英雄呢？"

老头子道："你可听说过'阿飞'这名字？"

辫子姑娘道："好像听说过。"

她眼珠子一转，又道："听说此人剑法之快，举世无双，却不知是真是假？"

老头子道："伊哭的武功如何？"

辫子姑娘道："兵器谱中，青魔手排名第九，武功自然是好得很了。"

老头子道："铁笛先生、少林心鉴、赵正义、田七……这些人的武功又如何？"

辫子姑娘道："这几位都是江湖中一等一的高手，谁都知道的。"

老头子道："阿飞的剑法若不快，这些人怎会败在他剑下？"

辫子姑娘道："如今这位'阿飞'的人呢？"

老头子叹了口气，道："他也和小李探花一样，忽然不见了，谁也不知道他的消息，只知道他是和林仙儿同时失踪的。"

辫子姑娘道："林仙儿？不就是那位号称天下第一美人的林姑娘？"

老头子道："不错。"

辫子姑娘也叹了口气，曼声道："情是何物？偏叫世人都为情苦，而且还无处投诉……"

那紫面少年似已有些不耐，皱眉道："闲话少说，书归正传，你说的故事呢？"

老头子长叹着摇头道："像阿飞和李寻欢这样的人物，都已不知下落，江湖中还会发生什么大事？我老头子还有什么好说的！"

那面带青印的瘦长汉子忽然冷笑了一声，道："那倒也不见得。"

老头子道："哦？阁下的消息难道比我老头子还灵通？"

那瘦长汉子目光四转，一字字道："据我所知，不久就会有件惊天动地的事发生。"

老头子道："在哪里发生？什么时候发生？"

瘦长汉子"啪"地一拍桌子，厉声道："就在此时，就在此地！"

这句话说出，那孪生兄弟和第三批来的四个人面上全都变了颜色，那绿衣妇人眼波流动娇笑道："我倒看不出此时此地会发生什么了不得的大事。"

瘦长汉子冷笑道："据我所知，至少有六个人马上就要死在这里！"

绿衣妇人道："哪六个人？"

瘦长汉子喝了口酒，缓缓道："'白毛猴'胡非、'大力神'段开山、'铁枪小霸王'杨承祖、'水蛇'胡媚和'南山双虎'南山韩家兄弟！"

他一口气说了这六个名字，那孪生兄弟和第二批来的四个人都已霍然长身而起，纷纷拍着桌子骂道："你是什么东西？敢在这里胡说八道？"

声音喊得最大的正是那"大力神"段开山。

此人站起来就和半截铁塔似的，"南山双虎"韩家兄弟身材虽高大，比起他来还是矮了半个头。

他骂了两句不过瘾，接着又道："我看你才是一脸倒霉相，休想活得过今天晚上……"

这句话还未说完，瘦长汉子只一抬腿，忽然就到了他面前，"噼噼啪啪"给了他十七八个耳光。

段开山明明有两只手，偏偏就无法招架，明明有两条腿，偏偏就无法闪避，连头都似已被打晕了，动都动不得。

别的人也看呆了。

只听这瘦长汉子冷冷道："你以为是我要杀你们？凭你们还不配让我动手，我这只不过是教训教训你们，要你们说话斯文些。"

他一面说着话，一面已慢慢走了回去。

"铁枪小霸王"杨承祖突然大喝一声，道："慢走，你倒说说看是谁要杀我们？"

喝声中，他一直放在手边的长枪已毒蛇般刺出。

只见枪花朵朵，竟是正宗的杨家枪法。

那瘦长汉子头也未回，淡淡道："要杀你们的人就快来了……"

只见他腰一闪，已将长枪挟在肋下，杨承祖用尽全身力气都抽不出来，一张紫脸已急得变成猪肝色。

瘦长汉子又接着道："你们反正逃也逃不了的，还是慢慢等着瞧吧。"

他忽然一松手，正在抽枪的杨承祖骤然失去重心，仰面向后跌了下去，若不是"水蛇"胡媚扶得快，连桌子也要被撞翻了。

再看他的铁枪，竟已变成了条"铁棍"！

铁尖已不知何时被人折断了！

但听"夺"的一声，瘦长汉子将枪尖插在桌子上，慢慢倒了杯酒，慢慢喝了下去，就好像什么事都没有发生过一样。

但韩家兄弟、杨承祖、胡非、段开山、胡媚，这六个人就没有他这么好过了，一个个面面相觑，俱是面如死灰。

每个人心里都在想："是谁要来杀我们？是谁……"

外面风渐渐大了，烛光闪动，映得那瘦长汉子一张青惨惨的脸更是说不出的诡异可怖。

"这人又是谁？"

"以他武功之高，想必是一等一的武林高手，我们怎会不认得他？"

"他怎会到这种地方来的？"

每个人心里都是忐忑不定，哪里还能喝得下一口酒去？

有的人已想溜之大吉，但这样就走，也未免太丢人了，日后若是传说出去还能在江湖中混么？

何况，听那青面汉子的口气，他们就算想逃，也逃不了！

那瘦小枯干，脸上还长着白毛的胡非，目光闪动，忽然站了起来，走到韩家兄弟的桌子前，抱拳道："南山双虎的威名，在下久已仰慕。"

南山双虎也立刻站起，大虎韩斑抱拳道："不敢。"

二虎韩明道：“胡大侠和胡姑娘兄妹，暗器轻功双绝，我兄弟也久仰得很！”

胡非道：“韩二侠过奖了。”

那边的“水蛇”胡媚也媚笑着裣衽作礼。

胡非道：“两位若不嫌在下冒昧，就请移驾过去一叙如何？”

韩斑道：“在下等也正有此意。”

这两批人若在别的地方相见，也许会拿出兵刃来拼个你死我活，但现在同仇敌忾，不是一家人也变成一家人了。

大家都举过杯，胡非道：“两位久居关东，在下等却一直在江淮间走动，兄弟实在想不出有什么人会想将我们一网打尽。”

韩斑道：“在下正也不解。”

胡非道：“听那位朋友的口气要杀我们的那人，武功想必极高，我们也许真的不是他敌手，只不过……”

他忽然笑了笑，道：“三个臭皮匠，胜过一个诸葛亮。合我们六人之力，总不至于连还手之力都没有吧。”

韩氏兄弟精神立刻一振。

韩斑大声道：“胡兄说得好，我们六个又不是木头，难道就会乖乖地让别人砍脑袋吗？”

他斜眼瞟着那青面瘦长汉子，但那人却似根本没有听见。

韩明也大声道：“常言道，兵来将挡。那人若不来也就罢了，若真的来……嘿嘿……”

胡媚娇笑着替他接了下去，道：“若真的来了，就叫他来得去不得。”

这正是“人多胆壮”，六个人合在一起，就连段开山和杨承祖的胆气也不觉壮了起来。

六个人正在你一句我一句，你捧我我捧你，突听门外有人一声冷笑。

六个人的脸色立刻变了，喉咙也像是忽然被人扼住，非但再也说不出一个字，连呼吸都似已将停顿。

孙驼子早已骇呆了，但这六人却比他还要怕得厉害，他也忍不住随着他们的目光瞧了过去。

只见门口已出现了四个人。

这四人都穿着颜色极鲜明的杏黄色长衫，其中一个浓眉大眼，一个鹰鼻如钩，正是今天早上向他打听消息的那两人。

他们虽已到了门口，却没有走进来，只是垂手站在那边，也没有说话，看来一点也不可怕。

孙驼子实在想不通方才还盛气凌人的六个人，怎会对他们如此害怕，看这六人的表情，这四个黄衫人简直不是人，是鬼。

他们有些羡慕那“酒鬼”了，什么也没有瞧见，什么也没有听见，自然什么都用不着害怕。

奇怪的是，那祖孙两人一个已快老掉了牙，一个娇滴滴的仿佛被风一吹就要倒。

但两人此刻居然很沉得住气，并没有露出什么害怕的样子来，那老头子居然还能喝得下酒。

再看门口那四个黄衫人，已闪身让出了一条路。

一个年纪很轻的少年人背负着双手，慢慢地走了进来。

这少年身上穿的也是杏黄色的长衫，长得很秀气，态度也很斯文，他和四人唯一不同的地方，就是黄衫上还镶着金边。

他长得虽秀气，面上却是冷冰冰的，全无丝毫表情，走到屋子里，四下打量了一眼，眼睛就盯在那青面瘦长汉子身上。

青面汉子自己喝着酒，也不理他。

黄衫少年嘴角慢慢地露出一丝冷笑，慢慢地转过身，冰冷的目光在杨承祖等六人身上一扫。

这六人看来个个都比他凶狠些，但被他目光这一扫，六人似乎连腿都软了，连坐都坐不稳了。

黄衫少年慢慢地走了过去，自怀中取出六枚黄铜铸成的制钱，在六个人的头上各放了一枚。

六个人竟似忽都变成了木头人，眼睁睁地瞧着这人将东西随随便便摆在自己头上，连个屁都不敢放。

黄衫少年还剩下几个铜钱，拿在手里“叮叮当当”地摇着，缓缓走到那老人和辫子姑娘的桌前。

老头子抬起头瞧了他一眼，笑道：“朋友若是想喝酒，就坐下来喝两杯吧，我请你。”

他似已有些醉了，嘴里就好像含着个鸡蛋似的，舌头也比平时大了三倍，说的话简直没人能听得清。

黄衫少年沉着脸，冷冷地瞧着他，突然伸手在桌上一拍，摆在老头子面前的一碟花生米就突然全部从碟子里跳了起来，暴雨般向老头子脸上打了过去。

那老头子也不知是看呆了，还是吓呆，连闪避都忘了闪避，几十粒花生米眼看已快打在他脸上。

黄衫少年长袖突又一卷，将花生米全都卷入袖中，他袍袖再一抖，花生米就又一连串落回碟子。

老头子眼睛发直，张大了嘴说不出话来。

那辫子姑娘却已拍手娇笑起来，笑道：“这把戏真好看极了，想不到你原来是个变戏法的，你再变几手给我们瞧瞧好不好？我一定要爷爷请你喝酒。”

黄衫少年露了手极精纯的内家掌力，又露了手极高妙的接暗器功夫，谁知却遇着个不识货的买主，居然将他看成变戏法的。

但这黄衫少年却一点也没有生气，上上下下打量了辫子姑娘几眼，目中似乎带着笑意，慢慢地走了开去。

辫子姑娘着急道：“你的戏法为什么不变了？我还想看哩。”

那青面瘦长汉子突然冷笑了一声，道：“这种戏法还是少看些为妙。”

辫子姑娘眨着眼道：“为什么？”

青面汉子冷冷道：“你们若是会武功，他方才那两手戏法只怕已将你们变死了。”

辫子姑娘偷偷瞟了黄衫少年一眼，似乎有些不信，却已不敢再问了。

黄衫少年根本就没有理会那青面汉子在说什么，慢慢地走到那“酒鬼”的桌子前。“叮叮当当”摇着手里的制钱。

那“酒鬼”早已人事不知，伏在桌上睡得好像死人一样。

黄衫少年冷笑着，一把拎起他的头发，将他整个人都拎了起来，仔细看了两眼，手才放松。

他的手一松，这“酒鬼”就“砰”地又跌回桌子上，还是人事不知又呼呼大睡了起来。

青面汉子冷冷道：“一醉解千愁，这话倒真不错，喝醉了的人确实比清醒的人占便宜。”

黄衫少年还是不睬他，背负着双手，慢慢地走了出去。

奇怪的是，胡非、段开山、杨承祖、胡媚、韩斑、韩明这六人也立刻一连串跟了出去，就好像有条绳子牵着似的。

这六人一个个都是哭丧着脸，直着脖子，脚下虽在一步步往前走，上半身却连动也不敢动，生怕头上的铜钱会掉下来。

看他们这种诚惶诚恐、小心翼翼的样子，仿佛只要头上的铜钱一跌落，立刻就要有大祸临头了。

孙驼子活了几十年，倒真还未见过这样的怪事。

他以前曾经听人说过，深山大泽中往往会出现山魅木客，最喜吃猴脑，高兴时就将全山的猴子全招来，看到中意的就放块石头在它脑袋上。被看中的猴子，绝不敢反抗，也绝不敢逃走，只是顶着那块石头，乖乖地等死。

孙驼子以前总认为这只不过是齐东野语，不足为信。但现在看到段开山这些人的模样，竟真的和那些猴子差不多。

以他们六人的武功，无论遇见什么人，至少也可以拼一拼，为何一见到这黄衫少年就好像老鼠遇见了猫。

孙驼子实在不明白。

他也并不想去弄明白，活到他这么大年纪的人，就知道有些事还是糊涂些好，太明白了反而烦恼。

好久没有下雨了，弄堂里的风沙很大。

另四个黄衫人不知何时已在地上画了几十个圆圈，每个圆圈不过是装汤的海碗那么大。

段开山等六人走出来，也不等别人吩咐，就站到这些圆圈里去了，一个人站一个圆圈，恰好能将脚摆在圆圈里。

六个人立刻又像是变成了六块木头。

黄衫少年又背负着双手，慢慢地走回小店，在段开山他们方才坐过的那张桌子上坐下。

他脸上始终冷冰冰的，到现在为止连一句话都没有说。

过了约莫两盏茶时候，又有个黄衫人走入了弄堂。

这人年龄比较大些，耳朵被人削掉了一个，眼睛也瞎了一只，剩下的一只独眼中，闪闪的发着凶光。

他穿的杏黄色长衫上也镶着金边，身后也一连串跟着七八个人，有老有少，有高有矮。

看他们的装束打扮，显然并不是没名没姓的人，但现在却也和段开山他们一样，一个个都哭丧着脸，直着脖子，小心翼翼地跟在那独眼人身后，走到小店前，就乖乖地站到圆圈里去。

其中有个人黝黑瘦削，满面都是精悍之色。

段开山等六人看到他，都显得很诧异，似乎在奇怪："怎么他也来了？"

独眼人目光在段开山等六人面上一扫，嘴角带着冷笑，也背负着双手，慢慢地走入了小店，在黄衫少年对面坐下。

两人互相看了一眼，点了点头，谁也没有说话。

又过了盏茶时候，弄堂里又有个黄衫人走了进来。

这人看来显得更苍老，须发俱已花白，身上穿的杏黄色长衫上也镶着金边，身后也一连串跟着十来个人。

远远看来，他长得也没有什么异样，但走到近前，才发现这人的脸色竟是绿的，衬着他花白的头发，更显得诡秘可怕。

他不但脸是绿的，手也是绿的。

站在小店外的人一看到这绿面白发的黄衫客，就好像看到了鬼似的，都不觉倒抽了口凉气，有的人甚至已在发抖。

还不到半个时辰，弄堂里地上画的几十个圆圈都已站满了人，每个人都屏息静气，噤若寒蝉，既不敢动，也不敢说话。

穿金边黄衫的人已到了四个，最后一个是个须发皆白的老人，身形已佝偻，步履已蹒跚，看来比那说故事的老头子还要大几岁，简直老得连路都走不动了，但带来的人却偏偏最多。

这四人各据桌子的一方，一走进来就静静地坐在那里，谁也不开口，四个人仿佛都是哑巴。

外面站在圈子里的一群人，嘴却好像全被缝起来似的，里里外外除了呼吸声外，什么声音都听不到。

这小店简直就变得像座坟墓，连孙驼子都已受不了，那祖孙两人和青面汉子却偏偏还是不肯走。

他们难道还在等着看把戏?

这简直是要命的把戏。

第二十八章

要人命的金钱

也不知过了多久，弄堂尽头突然传来一阵“笃、笃、笃……”之声，声音单调而沉闷。

但这声音在这种时候听来，却另有一种阴森诡秘之意，每个人心头都好像有棍子在敲。

“笃、笃、笃……”简直要把人的魂都敲散了。

四个黄衫人对望了一眼，忽然一起站了起来。

“笃、笃、笃……”声音愈来愈响，愈来愈近。

凄凉的夜色中，慢慢地出现了一条人影！

这人的左腿已齐根断去，拄着拐杖。

拐杖似是金属所铸，点在地上，就发出“笃”的一响。

暗淡的灯光往小店里照出去，照在这人脸上，只见这人披头散发，面如锅底，脸上满是刀疤！

三角眼，扫地眉，鼻子大得出奇，这张脸就算没有刀疤，也已丑得够吓人了。

无论谁看到这人，心里都难免要冒出一股寒气。

四个黄衫人竟一起迎了出去，躬身行礼。

这独腿人已摆了摆手。

“笃、笃、笃……”人也走入了小店。

孙驼子这时看出他身上穿的也是件杏黄色的长衫，却将下摆掖在腰带里，已脏得连颜色都分不清了。

这件脏得要命的黄衫上，却镶着两道金边。

青面汉子瞧见这人走进来，脸色似也变了变。

那辫子姑娘更早已扭过头去，不敢再看。

独腿人三角眼里光芒闪动，四下一扫，看到那青面汉子时，他似乎皱了皱眉，然后才转身道："你们辛苦了。"

他相貌凶恶，说起话来却温和得很，声音也很好听。

四个黄衫人齐躬身道："不敢。"

独腿人道："全都带来了么？"

那黄衫人道："是。"

独腿人道："一共有多少位？"

其中一个黄衫人道："四十九人。"

独腿人道："你能确定他们全是为那件事来的么？"

黄衫老人道："在下等已调查确实，这些人都是在这三天内赶来的，想必都是为了那件事而来，否则怎会不约而同地来到这里？"

独腿人点了点头，道："调查清楚就好，咱们可不能错怪了好人。"

黄衫老人道："是。"

独腿人道："咱们的意思，这些人明白了没有？"

黄衫老人道："只怕还未明白。"

独腿人道："那么你就去向他们说明白吧。"

黄衫老人道："是。"

他慢慢地走了出去，缓缓道："我们是什么人，各位想必已知道了，各位的来意，我们也清楚得很。"

他又慢慢地自怀中取出了一封信，接着道："各位想必都接到了这同样的一封信，才赶到这里来的。"

大家既不敢点头，又怕说错了话，只能在鼻子里"嗯"了一声，几十个人鼻子里同时出声，那声音实在奇怪得很。

黄衫老人淡淡道："凭各位的这点本事，就想来这里打主意，只怕还不配，所以各位还是站在这里，等事完再走的好，我们可以保证各位的安全，只要各位站着不动，绝没有人会来伤及各位毫发。"

他淡淡笑了笑，接道："各位想必都知道，我们不到万不得已时，是不伤人的。"

他说到这里，突然有人打了个喷嚏。

打喷嚏的人正是"水蛇"胡媚。

女人为了怕自己的腰肢看来太粗，宁可冻死也不肯多穿件衣服的，大多数女人都有这个毛病。

胡媚这个毛病更重。

她穿得既少，弄堂里的风又大，她一个人站在最前面，恰好迎着风口，吹了半个多时辰，怎会不着凉。

平时打个喷嚏，最多也只不过抹抹鼻涕也就算了，但这喷嚏在此刻打出来，却真有点要命。

胡媚一打喷嚏，头上顶着的铜钱就跌了下来。

只听“当”的一声，铜钱掉在地上，骨碌碌滚出去好远，不但胡媚立刻面无人色，别的人脸色也变了。

黄衫老人皱了皱眉，冷冷道：“我们的规矩，你不知道？”

胡媚颤声道：“知……知道。”

黄衫老人摇了摇头，道：“既然知道，你就未免太不小心了。”

胡媚身子发抖道：“晚辈绝不是故意，求前辈饶我这一次。”

黄衫老人道：“我也知道你不会是故意的，却也不能坏了规矩，规矩一坏，威信无存，你也是老江湖了，这道理你总该明白。”

胡媚转过头，仰面望着胡非，哀唤道：“大哥，你……你也不替我说句话？”

胡非缓缓闭起眼睛，面颊上的肌肉不停颤动，黯然道：“我说话又有什么用？”

胡媚点了点头，凄然笑道：“我明白……我不怪你！”

她目光移向杨承祖，道：“小杨你呢？我……我就要走了，你也没有话要对我说？”

杨承祖眼睛直勾勾地瞪着前面，脸上连一点表情都没有。

胡媚道：“你难道连看都不愿看我一眼？”

杨承祖索性也将眼睛闭上了。

胡媚突然咯咯地笑了起来，指着杨承祖道：“你们大家看看，这就是我的情人，这人昨天晚上还对我说，只要我对他好，他不惜为我死的，但现在呢？现在他连看都不敢看我，好像只要看了我一眼，就会得麻风病似的……”

她笑声渐渐低沉，眼泪却已流下面颊，喃喃道：“什么叫作情？什么叫作爱？一个人活着又有什么意思？真不如死了反倒好些，也免得烦恼……”

说到这里，她忽然就地一滚，滚出七八尺，双手齐扬，发出了数十点寒星，带着尖锐的风声，击向那黄衫老人。

她身子也已凌空掠过，似乎想掠入高墙。

“水蛇”胡媚以暗器轻功见长，身手果然不俗，发出的暗器又多，又急，又准，又狠！

黄衫老人，却只是淡淡皱了皱眉，缓缓道：“这又何苦？”

他说话走路都是慢吞吞的，出手却快得惊人，这短短四个字说完，数十点寒星已都被他卷入袖中。

胡媚人刚掠起，骤然觉得一股大力袭来，身子不由自主“砰”地撞到墙上，自墙上滑落，耳鼻五官都已沁出了鲜血。

黄衫老人摇着头道：“你本来可以死得舒服些的，又何苦多此一举。”

胡媚手捂着胸膛，不停地咳嗽，咳一声，一口血。

黄衫老人道：“但你临死之前，我们还可以答应你一个要求。”

胡媚喘息着道：“这……这也是你们的规矩？”

黄衫老人道：“不错。”

胡媚道：“我无论要求什么事，你们都答应我？”

黄衫老人道：“你若有什么未了的心愿，我们可以替你去做，你若有仇未报，我们也可以替你去报！”

他淡淡笑了笑，悠然接着道：“能死在我们手上的人，运气并不差。”

胡媚目中突然露出了一种异样的光芒，道：“我既已非死不可，不知可不可以选个人来杀我。”

黄衫老人道：“那也未尝不可，却不知你想选的是谁？”

胡媚咬着嘴唇，一字字道：“就是他，杨承祖！”

杨承祖的脸色立刻变了，颤声道：“你……你这是什么意思？你难道想害我？”

胡媚凄然笑道：“你对我虽是虚情假意，我对你却是情真意浓，只要能死在你的手上，我死也甘心了。”

黄衫老人淡淡道："杀人只不过是举手之劳而已，你难道从未杀过人么？"

他挥了挥手，就有个黄衫大汉拔出了腰刀，走过去递给杨承祖，微笑着道："这把刀快得很，杀人一定用不着第二刀！"

杨承祖情不自禁摇了摇头，道："我不……"

刚说到"不"字，他头顶上的铜钱也掉了下来。

"当"的一声，铜钱掉在地上，直滚了出去。

杨承祖整个人吓呆了，刹那间冷汗已湿透了衣服。

胡媚又已疯狂般大笑起来，咯咯笑道："你说过，我若死了，你也活不下去，现在你果然要陪我死了，你这人总算还有几分良心……"

杨承祖全身发抖，突然狂吼一声，大骂道："你这妖妇，你好毒的心肠！"

他狂吼着夺过那把刀，一刀砍在胡媚脖子上，鲜血似箭一般的飞溅而出，染红了杨承祖的衣服。

他喘着气，发着抖，慢慢地抬起头。

每个人的眼都在冷冷地望着他。

夜色凄迷，不知何时起了一片乳白色的浓雾。

杨承祖跺了跺脚，反手一刀向自己的脖子抹了过去。

他的尸体正好倒在胡媚身上。

孙驼子这才明白这些人走路时为何那般小心了，原来要是他们一不小心将头顶上的铜钱掉落，就非死不可！

这些黄衫人的规矩不但太可怕，也太可恶！

那青面汉子却无动于衷，对这种事似已司空见惯，孙驼子只奇怪那黄衫人为何没有在他头顶上也放一枚铜钱。

就在这时，那独腿人忽然站了起来，慢慢地走到那青面瘦长汉子的桌前，在对面坐下。

青面汉子慢慢地抬起头，盯着他。

两个人都没有说话，但孙驼子却忽然紧张了起来，就好像有什么可怕的事立刻就要发生了。

他觉得这两人的眼睛都像是刀，恨不得一刀刺入对方心里。

雾更重了。

也不知过了多久，独腿人脸上忽然露出了一丝微笑。

他笑得很特别，很奇怪，一笑起来，就令人立刻忘了他的凶恶和丑陋，变得说不出的温和亲切。

他微笑着道："阁下是什么人，我们已知道了。"

青面汉子道："哦！"

独腿人道："我们是什么人，阁下想必也已知道。"

青面汉子冷冷道："近两年来不知道你们的人，只怕很少。"

独腿人又笑了笑，慢慢地自怀中取出了一封信。

这封信正和那黄衫人取出来的一样，看来并没有什么特别之处，但就连孙驼子也忍不住想瞧瞧信封上写的是什么。

那辫子姑娘的一双大眼睛更不时地偷偷往这边瞟，只可惜独腿人已将这封信用手压在桌上，微笑着道："阁下不远千里而来，想必也是为了这封信来的。"

青面汉子道："不错。"

独腿人道："阁下可知道这封信是谁写的么？"

青面汉子道："不知道。"

独腿人笑道："据我们所知，江湖中接到这样信的至少也有一百多位，但却没有一个人知道信是谁写的，我们也曾四下打听，却连一点线索也没有。"

青面汉子冷冷道："若连你们也打听不出，还有谁能打听得出！"

独腿人笑道："我们虽不知道信是谁写的，但他的用意我们却已明白。"

青面汉子道："哦？"

独腿人道："他将江湖中成名的豪杰全引到这里来，为的就是要大家争夺埋藏在这里的宝物，然后自相残杀！他才好得渔翁之利。"

青面汉子道："既然如此，你们为何要来？"

独腿人道："正因他居心险恶，所以我们才非来不可！"

青面汉子道："哦？"

独腿人笑了笑道："我们到这里来，就为的是要劝各位莫要上那人的当，只要各位肯放手，这一场祸事就可消弭于无形了。”

青面汉子冷笑道：“你们的心肠倒真不错。”

独腿人似乎根本听不出他话中的刺，还是微笑道：“我们只希望能将大事化小事，小事化无事，让大家都能安安静静地过几年太平日子。”

青面汉子缓缓道：“其实此间是否真有宝藏，大家谁也不知道。”

独腿人抚掌道：“正是如此，所以大家若是为了这种事而拼命，岂非太不值得了。”

青面汉子道：“我既已来了，好歹也得看他个水落石出，岂是别人三言两语就能将我打发走的。”

独腿人立刻沉下了脸，道：“如此说来，阁下是不肯放手的了！”

青面汉子冷笑道：“我就算放了手，只怕也轮不到你们！”

独腿人也冷笑着道：“除了阁下外，我倒想不出还有谁能跟我们一争长短的。”

他将手里的铁拐重重一顿，只听“笃”的一声火星四溅，四尺多长的铁拐，赫然已有三尺多插入地下。

青面汉子神色不变，冷冷道：“果然好功夫，难怪百晓生作兵器谱，要将你这只铁拐排名第八。”

独腿人厉声道：“阁下的蛇鞭排名第七，我早就想见识见识了！”

青面汉子道：“我也正想要你们见识见识！”

第二十九章

长眼睛的鞭子

只见青面汉子左手轻轻在桌上一按，人已凌空飞起，只听“呼”的一声，风声激荡，右手里不知何时已多了条乌黑的长鞭。

软兵器愈长愈难使，能使七八尺软鞭的人，已可算是高手，此刻这青面汉子的蛇鞭却长得吓人，纵然没有三丈，也有两丈七八。

他的手一抖，长鞭已带着风声向站在圆圈里的一群人头顶上卷了过去，只听“叮叮当当”一连串声响，四十多枚铜钱一起跌落在地上。

这四十几人有高有矮，他长鞭一卷，就把他们头上的铜钱全部卷落，且未伤及任何一人毫发。

这四十几人可说没有一个不是见多识广的老江湖，但能将一条鞭子使得如此出神入化的，却是谁也没有见过。

鞭子到了他手上，就像是忽然变活了，而且还长了眼睛。

四十几人互相瞧了一眼，忽然同时展动身形，蹿墙的蹿墙，上房的上房，但见满天人影飞舞，刹那间就逃得干干净净。

那黄衫老人脸色也变了，厉声道：“你要了他们的夺命金钱，难道是准备替他们送命么？”

独腿人冷笑道：“有‘鞭神’西门柔的一条命，也可抵得过他们四十几条命了！”

他铁拐斜扬，一只脚站在地上，整个人就好像钉在地上似的，稳如泰山。

黄衫老人双手一伸一缩，自长袖中退出了一对判官笔。

面色惨绿的黄衣人转了个身，手里也多了对奇形外门兵刃，看来似刀非刀，似锯非锯，阴森森地发着碧光，兵刃上显然有剧毒。

那黄衫少年始终未曾开口说话，双手也始终藏在袖中，此刻才慢慢地伸了出来，用的兵刃赫然竟是一双子母钢环。

用兵器讲究的是“一寸长一寸强，一寸短一寸险”。这子母钢环更是险中之险，只要一出手，就是招招抢攻的进手招式，不能伤人，便被人伤，是以武林中敢用这种绝险兵器的人并不多。

敢用这种兵器的人武功就绝不会弱。

四个人身形展动，已将那青面汉子西门柔围住。

只有那独眼黄衣人却退了几步，反手拉开了衣襟，露出了前胸的两排刀带，带上密密地插着七七四十九柄标枪，有长有短，长的一尺三寸，短的六寸五分，枪头的红缨鲜红如血！

五个人的眼睛都转也不转地盯在西门柔手里的长鞭上，显然都对这条似乎长着眼睛的鞭子有些戒惧之心。

独腿人阴恻恻一笑，道：“我这四位朋友的来历，阁下想必已看出来了吧。”

西门柔道：“我早就看出来了。”

独腿人道：“按理说，以我们五人的身份，本不该联手对付你一个，只不过今日的情况却不同。”

西门柔冷笑道：“江湖中以多为胜的小人我也见得多了，又不止你们五个。”

独腿人道：“我本不想取你性命，但你既犯了我们的规矩，我们怎能再放你走，规矩一坏，威信无存，这道理你自然也明白。”

西门柔道：“我若一定要走呢？”

独腿人道：“你走不了的！”

西门柔忽然大笑起来，道：“我若真要走时，凭你们还休想拦得住我！”

他的手一抖，长鞭忽然卷起了七八个卷子，将自己卷在中央，鞭子旋转不息，看来就像是陀螺似的。

独腿人大喝一声，铁拐横扫出去。

这一拐扫出，虽是一招平平常常的“横扫千军”，但力道之强，气势之壮，却当真无与伦比！

江湖中每天也不知有多少人在用这同样的招式，但也只有他才真的无愧于这“横扫千军”四字。

西门柔长笑不绝，鞭子旋转更急，他的人已突然冲天飞起。

那独眼大汉双手齐扬，眨眼间已发出了十三柄标枪，但见红缨闪动，带着呼啸的风声向西门柔打了过去。

长的标枪先发，短的标枪却先至，只听“咔嚓、咔嚓”一连串声响，长长短短一十三根标枪全都被旋转的鞭子拗断，断了的标枪向四面八方飞出，有的飞入高墙，有的钉在墙上，余力犹未尽，半截枪杆仍在“嗡嗡”地弹动不歇，枪头的红缨都被抖散了，一根根落下来，随风飞舞。

西门柔的人却像是阵龙卷风般愈转愈快，愈转愈高，再几转便转入浓雾中，瞧不见了。

独腿人喝道：“追！”

他铁拐“笃”地一点，人也冲天飞起，这一条腿的人竟比两条腿的人轻功还高得多，眨眼间也消失在浓雾中。

但铁拐扫动时所带起的风声仍远远传来，所有的黄衫人立刻都跟着这风声追了下去，弄堂里立刻又恢复了昔日的平静，只留下一摊血泊、两具尸体。

若不是这两具尸身，孙驼子真以为这只不过是场噩梦。

只见那老头子不知何时已清醒了，眼睛里连一点酒意也没有，他目送黄衣人一个个走远，才叹了口气，喃喃道：“难怪西门柔的蛇鞭排名还在青魔手之上，看他露了这两手，就已不愧‘鞭神’两字，百晓生毕竟还是有眼光的。”

辫子姑娘道：“武林中用鞭子的人，难道真没有一个能强过他吗？”

老头子道：“软兵刃能练到他这种火候的，三十年来还没有第二个。”

辫子姑娘道：“那一条腿的怪物呢？”

老头子道：“那人叫诸葛刚，江湖中人又称他‘横扫千军’，掌中一只金刚铁拐净重六十三斤，天下武林豪杰所使的兵器，没有一个比他更重的了。”

辫子姑娘笑道：“一个叫西门柔，一个叫诸葛刚，看来两人倒真是天生的冤家对头。”

老头子道："西门柔武功虽柔，为人却很刚正，诸葛刚反倒是个阴险狡猾的人。两人武功相克，脾气也不同，只不过柔能克刚，斗武功诸葛刚虽稍逊一筹，斗心机西门柔就难免要吃亏了。"

辫子姑娘道："依我看，那白胡子老头比诸葛刚还要阴险得多。"

老头子道："那人叫高行空，是点穴的名家，还有那独眼龙叫燕双飞，双手能在顷刻间连发四十九柄飞枪，百发百中。这两人在百晓生的兵器谱中一个排名三十七，一个排名四十六，在江湖中也是一等一的高手。"

辫子姑娘撇了撇嘴，道："排名四十六的还能算高手么？"

老头子道："这世上练武的人何止千万，能在兵器谱上列名的又有几个？"

辫子姑娘道："那脸色发绿的人用的是什么兵器？"

老头子道："那人叫'毒螳螂'唐独，用的兵器就叫作'螳螂刀'，刀上剧毒，无论谁只要被划破一丝血口，一个时辰内必死无救！"

辫子姑娘吃吃笑道："我想起来了，听说此人专吃五毒，所以吃得全身发绿，连眼球子都是绿的，他老婆还送了他顶绿帽子。"

老头子敲着火石，点起了旱烟，长长吸了一口，道："这几人虽都是江湖中一等一的高手，但若论来头之大，却还都比不上那年纪轻轻的小伙子。"

辫子姑娘道："不错，我也看出这人有两下子，他年纪最轻，却最沉得住气，用的兵器也最扎手，却不知他是什么来历。"

老头子道："你可听说过'龙凤环'上官金虹这名字？"

辫子姑娘道："当然听说过，此人掌中一对子母龙凤环，在兵器谱中排名第二，名次犹在小李探花的飞刀之上，江湖中谁人不知，哪个不晓？"

老头子道："那少年叫上官飞，正是上官金虹的独生子，诸葛刚、唐独、高行空、燕双飞，也都是上官金虹的属下。"

辫子姑娘伸舌头，道："难怪他如此强横霸道了，原来他们还有这么硬的后台。"

老头子道："上官金虹沉寂了多年，两年前忽然东山复起，网罗了兵器谱中的十七位高手，组成了金钱帮，这两年来战无不胜，横行无忌，江湖中人人为之侧目，声势之壮，甚至已凌驾在丐帮之上！”

辫子姑娘撇着嘴道：“丐帮乃是武林中第一大帮，他们这些邪门外道怎么比得上？”

老头子长长叹了口气，道：“这两年来，江湖中人才凋零，正消邪长，那些志气消沉的英雄侠士若再不奋发图强，金钱帮真不知要横行到几时了。”

说到这里，他们似有意若无意地向那“酒鬼”瞟了一眼，那酒鬼却仍伏在桌上，沉醉不醒。

辫子姑娘叹了口气，道：“如此说来，这件事既有金钱帮插手，别的人也只好在旁边看看了。”

老头子笑了笑，道：“那倒也不见得。”

辫子姑娘道：“难道还有什么人的武功比上官金虹更强么？”

老头子道：“龙凤环在兵器谱中虽然排名第二，但排名第三的小李飞刀、排名第四的嵩阳铁剑，武功都未必在上官金虹之下！”

他又笑了笑，才接着道：“何况，在龙凤环之上，还有根千变万化，妙用无方的‘如意棒’哩！”

辫子姑娘眼睛亮了，道：“那如意棒究竟有什么妙用？为何能在兵器谱中排名第一？”

老头子摇了摇头，道：“如意棒又叫作天机棒，天机不可泄露，除了那位‘天机老人’外，别的人怎会知道？”

辫子姑娘嘟着嘴，沉默了半晌，忽又笑了，道：“金钱帮就算很了不起，但名字却起得太不高明了，简直又俗气又可笑。”

老头子正色道：“钱能役鬼，也可通神，天下万事万物，还有哪一样的魔力能比‘金钱’更大？你活到我这种年纪，就会知道这名字一点也不可笑了。”

辫子姑娘道：“但世上也有些人是金钱所不能打动的。”

老头子叹道：“那种人毕竟很少，而且愈来愈少了……”

辫子姑娘又嘟起了嘴，垂头望着自己的指甲。

老头子抽了几口烟，在桌边上磕出了斗中的烟灰，缓缓道：“我说的话，你都听见了么？”

辫子姑娘大眼睛一转，也瞟了那酒鬼，展颜笑道："我又没有喝醉，怎么会听不见？"

老头子点了点头，道："那些人的来历，你想必也全都明白了？"

辫子姑娘道："全明白了。"

老头子道："很好，这样你以后遇着他们时，就会小心些了……"

他面带着微笑，慢慢地站了起来，喃喃道："这里的酒虽不错，但一个人只要活着，总不能永远泡在酒缸里，糊里糊涂地过一辈子，该走的时候，还是要走的……掌柜的，你说是吗……"

这祖孙两人一问一答，就好像在向别人说话似的。

孙驼子也不觉听得出神了，此刻忍不住笑道："老先生对江湖中的事如此熟悉，想必也是位了不起的大英雄，这里的账，就让我替你老人家结了吧。"

老头子摇着头笑道："我可不是什么英雄，不过是个酒虫……但无论英雄也好，酒虫也好，一个人欠的账总要自己付的，赖也赖不了，躲也躲不掉。"

他取出锭银子放在桌上，扶着他孙女儿的肩头，蹒跚地走了出去，也渐渐地消失在无尽的夜雾里。

孙驼子望着他的背影，又出了半天神，回过头，才发现"酒鬼"不知何时也已醒了，而且已走到"鞭神"西门柔方才坐过的那张桌子前，拿起了诸葛刚方才留在桌上的那封书信。

孙驼子笑道："你今天可真不该喝醉的，平白错过了许多好戏。"

那酒鬼笑了笑，又叹了口气道："真正的好戏也许还在后头哩，只怕我想不看都不行。"

孙驼子皱了皱眉，他觉得今天每个人说话都好像有点阴阳怪气，好像每个人都吃错了药似的。

那酒鬼已抽出了信，只瞧了两眼，苍白的脸上突又泛起了一阵异样的红晕，弯下腰去不停地咳嗽起来。

孙驼子忍不住问道："信上写的是什么？"

那酒鬼道："没……没什么。"

孙驼子眨了眨眼，道："听说那些人全都是为了这封信来的。"

那酒鬼道："哦？"

孙驼子笑道："他们还说这里有什么藏宝，那才真是活见鬼了。"

他一面抹着桌子，一面又道："你还想不想喝酒？今天我请你。"

他听不到回答，转过头，只见那酒鬼正呆呆地站在那里，出神地遥望着远方，也不知在瞧些什么。

他目中虽没有醉意，却带着种说不出的凄凉萧索之意。

孙驼子顺着他的目光望了过去，就看到了高墙内，小楼上的那一点孤灯，在浓雾中看来，这一盏孤灯仿佛更遥远了……

孙驼子回到后院的时候，三更早已过了。

院子里永远是那么寂静，那酒鬼屋子里灯光还在亮着，门却没有关起，被风一吹，"吱吱"地发响。

孙驼子想起那天晚上的事，立刻就走了过去，敲着门道："你睡了么？为何没关门？"

屋子里寂静无声。

孙驼子将门轻轻推开了一线，探头进去，只见床上的被子叠得整整齐齐，根本就没有人睡过。

那酒鬼已不见了。

"三更半夜的，他会跑到哪里去？"

孙驼子皱了皱眉，推门走了进去。

屋子里很凌乱，床头堆着十七八块木头，但却瞧不见那把刻木头的小刀，桌子上还有喝剩下的半壶酒。

酒壶旁有一团揉皱了的纸。

孙驼子认得这张纸正是诸葛刚留下来的那封信。

他忍不住用手将信纸摊平，只见上面写着："九月十五夜，兴云庄有重宝将现，盼阁下勿失之交臂。"

就只这短短三句话，下面也没有署名，但信上说的愈少，反而愈能引起别人的好奇之心。

写信的这人，实在很懂得人的心理。

孙驼子皱起了眉，面上也露出一种奇异表情。

他知道兴云庄就是他小店对面那巨大的宅第，但却再也想不出那"酒鬼"会和兴云庄有什么关系。

第三十章

漫漫的长夜

夜雾凄迷，木叶凋零，荷塘内落满了枯叶，小路上荒草没径，昔日花红柳绿、梅香菊冷的庭院，如今竟充满了森森鬼气。

小桥的尽头，有三五精舍，正是“冷香小筑”。

在这里住过的有武林中第一位名侠，江湖中第一位美人，昔日此时，梅花已将吐艳，香气醉沁人心。

但现在，墙角结着蛛网，窗台积着灰尘，早已不复再见昔日的风流遗迹，连不老的梅树都已枯萎。

小楼上的灯火仍未熄，远方传来零落的更鼓。

已是四更。

漫漫长夜已将尽，浓雾中忽然出现了一条人影。

这究竟是深夜无寐的人，还是来自地府的幽灵？

只见他头发蓬乱，衣衫不整，看来是那么落魄、憔悴，但他的神采看来却仍然是那么潇洒，目光也亮得像是秋夜的寒星。

他萧然走过小桥，看到枯萎了的梅树，他不禁发出了深长的叹息。梅花本也是他昔日的良伴，今日却已和人同样憔悴。

然后他的人忽然如燕子般飞起！

小楼上的窗子是关着的，淡黄色的窗纸上，映着一条纤弱的人影，看来也是那么寂寞，那么孤零。

窗棂上百条裂痕，从这裂痕中望进去，就可以看到这孤零寂寞的人，正面对着孤灯，在缝着衣服。

她的脸色苍白，美丽的眼睛也失去了昔日的光彩。

她面上全没有丝毫表情，看来是那么冷淡，似乎早已忘却了人间的欢乐，也已忘却了红尘的愁苦。

她只是坐在那里，一针针地缝着，让青春在针尖溜走。

衣服上的破洞可以缝补，但心灵上的创伤却是谁也缝合不了的……

坐在她对面的，是个十三四岁的孩子。

他长得很清秀，一双灵活的眼睛使他看来更聪明，但他的脸色也那么苍白，苍白得使人忘了他还是个孩子。

他正垂着头，在一笔笔地练着字。

他年纪虽小，却也已学会了忍耐寂寞。

那落魄的人幽灵般伏在窗外，静静地瞧着他们。

他眼角已现出了泪痕。

也不知过了多久，那孩子忽然停下了笔，抬起了头，望着桌上闪动的火焰痴痴地出神。

那妇人也停下了针线，看到了她的孩子，她目中就流露出不尽的温柔，轻声道："小云，你在想什么？"

孩子咬着嘴唇，道："我正在想，爹爹不知要到什么时候才会回来。"

妇人的手一阵颤抖，针尖扎在她自己的手指上，但她却似乎全未感觉到痛苦，她的痛苦在心里。

那孩子又道："妈，爹爹为什么会突然走了呢？到现在已两年了，连音讯都没有。"

妇人沉默了很久，才轻轻叹了口气，道："他走的时候，我也不知道。"

那孩子目中突然露出了一种说不出的狡黠之色，道："但我却知道他是为什么走的。"

妇人皱了皱眉，轻叱道："你小小的孩子，知道什么？"

那孩子道："我当然知道，爹爹是为了怕李寻欢回来找他报仇才走的，他只要一听到李寻欢这名字，脸色就立刻变了。"

妇人想说话，到后来所有的话都化作了一声长长的叹息。

她也知道孩子懂得很多，也许太多了。

那孩子又道："但李寻欢却始终没有来，他为什么不来看看妈呢？"

妇人的身子似又起了一阵颤抖，大声道："他为什么要来看我？"

那孩子嘻嘻一笑，道："我知道他一直是妈的好朋友，不是吗？"

妇人的脸色更苍白，忽然站了起来，板着脸道："天已快亮了，你还不去睡？"

那孩子眨了眨眼睛，道："我不睡，是为了陪妈的，因为妈这两年来晚上总是睡不着，连孩儿我看了心里都难受得很。"

妇人缓缓地阖起眼睛，一连串眼泪流下面颊。

那孩子却站了起来，笑道："我也该去睡了，明天就是妈的生日，我得早些起来……"

他笑着走过来，在那妇人的面颊上亲了亲，道："妈也该睡了，明天见。"

他笑着走了出去，一走到门外，笑容就立刻瞧不见了，目中露出了一种怨毒之色，喃喃道："李寻欢，别人都怕你，我可不怕你，总有一天，我要你死在我手上的。"

妇人目送着孩子走出门，目中充满了痛苦，也充满了怜惜，这实在是个聪明的孩子。

她只有这么一个孩子。

这孩子就是她的命，他就真做了什么令她伤心的事，就真说了什么令她伤心的话，她都还是同样地疼他爱他。

母亲对孩子的爱，是永无止境、永无条件的。

她又坐了下来，将灯火挑得更亮了些。

她怕黑暗。

每天夜色降临的时候，她心里就会生出一种说不出的畏惧。

就在这时，她听到窗外传来了一阵轻轻的咳嗽声。

她脸色立刻变了。

她整个人似已僵住，呆呆地坐在那里，痴痴地望着那窗子，目中似乎带着些欣喜，又似乎带着些恐惧……

也不知过了多久，她才慢慢地站了起来，慢慢地走到窗口，用一只正在颤抖着的手，慢慢地推开了窗户，颤声道："什么人？"

乳白色的浓雾一缕缕飘入窗户，袅娜四散，十四夜的满月被浓雾掩没，已能看得到一轮淡淡的微光。

四下哪有什么人影。

那妇人目光茫然四下搜索着，凄然道："我知道你来了，你既然来了，为何不出来和我相见呢？"

没有人声，也没有响应。

那妇人长长叹了口气，黯然道："你不愿和我相见，我也不怪你，我们的确对不起你，对不起你……"

她声音愈来愈轻，又呆呆地伫立了良久，才缓缓关起窗子。

窗子里的灯火也渐渐微弱，终于熄灭。

大地似已完全被黑暗所吞没。

黎明前的一段时候，永远是最黑暗的。

但黑暗毕竟也有过去的时候，东方终于现出了一丝曙色，随着黑暗同来的夜雾，也渐渐淡了。

小楼前的梧桐树后，渐渐现出了一条人影。

他就这样动也不动地站在那里，也不知已站了多久，他的头发、衣服，几乎都已被露水湿透。

他目光始终痴痴地望着那小楼上的窗户，仿佛从未移动过，他看来是那么苍老、疲倦、憔悴……

他正是昨夜那宛如幽灵般在浓雾中出现的人，也正是那个在孙驼子的小店中终日沉醉不醒的酒鬼。

他虽然没有说话，可是心里却在呼唤。

"诗音，诗音，你并没有对不起我，是我对不起你……"

"我虽不能见你的面，可是这两年来，我日日夜夜都在你附近，保护着你，你可知道吗？"

一线骄阳划破晨雾，天色更亮了。

这人以手掩着嘴，勉强忍住咳嗽，悄悄地穿过已被泥泞和落叶淹没的青石小径，穿过红漆已剥落的月门，悄悄地走到前面。

整个宅院已完全荒废，昔日高朋满座的厅堂，今日已只剩下蛛网、灰尘和一扇扇已被风雨吹得七零八落的窗户。

四下不见人迹，也听不到人声。

他走下长长的石阶，来到前院。

前院似乎比后园更荒凉，更残破，只有大门旁的那门房小屋，门窗还勉强可以算完整的。

昔日曾经到过这里的人，无论谁也想不到这辉煌的宅第，在短短不到两年的时间，就已变成如此模样。

他又弯下腰，低低地咳嗽着，一线阳光照上他的头，就在这一夜间，他本来漆黑的头发，竟已被忧痛和感伤染白了双鬓。

然后，他缓缓走到那门房小屋前。

门是虚掩着的，他轻轻推开了。

一推开门，立刻就有一股廉价的劣酒气扑鼻而来，屋子里又脏又乱，一个人伏在桌上，手里还紧紧地抓着个酒瓶。

又是个酒鬼。

他自嘲地笑了笑，开始敲门。

伏在桌上的人终于醒了，抬起头，才看出他满面都是麻子，满面都是被劣酒侵蚀成的皱纹，须发也已白了。

谁也不会想到他就是武林第一美人林仙儿的亲生父亲。

他醉眼惺忪地四面瞧着，揉着眼睛，喃喃道："大清早就有人来敲门，撞见鬼了么？"

说完了这句话，他才真的见到了那落魄的中年人，皱眉叱道："你是什么人？怎么跑到这里来了？你怎么来的？"

他嗓子愈来愈大，似又恢复了几分大管家的气派。

落魄的中年人笑了笑，道："两年前我们见过面，你不认得我了吗？"

麻子定睛看了他几眼，脸上立刻变了颜色，霍然站了起来，就要往地上拜倒，惊喜着道："原来是李……"

落魄的中年人不等他拜下已扶住了他，不等他话说完，已掩住了他的嘴，微笑着缓缓道："你还认得我就好，我们坐下来说话。"

麻子赶紧搬凳子，赔笑道："小人怎会不认得大爷你呢？上次小人有眼无珠，这次再也不会了，只不过……大爷你这两年来的确老了许多。"

落魄的中年人似乎也有些感叹，道："你也老了，大家都老了，这两年来你们日子过得还好么？”

麻子摇了摇头，叹道：“在别人面前，我也许还会吹吹牛，但在大爷你面前……”

他又叹了口气，苦笑着接道：“不瞒大爷，这两年的日子，连我都不知怎么混过去的，今天卖幅字画，明天卖张椅子来度日，唉……”

落魄的中年人皱眉道：“家里难道连日子都过不下去了？”

麻子低下了头，揉着眼睛。

落魄的中年人道：“龙……龙四爷走的时候，难道没有留下安家的费用？”

麻子摇了摇头，眼睛都红了。

落魄的中年人脸色更苍白，又不住咳嗽起来。

麻子道：“夫人自己本还有些首饰，但她的心肠实在太好了，都分给了下人们，叫他们变卖了做些小生意去谋生，她……她宁可自己受苦，也不愿亏待了别人。”

说到这里，他语声也已有些哽咽。

落魄的中年人沉默了很久，感叹着道：“但你却没有走，你实在是个很忠心的人。”

麻子低着头笑了，讷讷道：“小人只不过是无处可去罢了……”

落魄的中年人柔声道：“你也用不着自谦，我很了解你，有些人的脾气虽然不好，心却是很好的，只可惜很少有人能了解他们而已。”

麻子的眼睛似又红了，勉强笑着道：“这酒不好，大爷你若不嫌弃，将就着喝两杯吧。”

他殷勤地倒酒，才发现酒瓶已空了。

落魄的中年人展颜笑道：“我倒不想喝酒，只想喝杯……茶，你说奇不奇怪，我也居然想喝茶了，许多年来，这倒是破题儿第一次。”

麻子也笑了，道：“这容易，我这就去替大爷烧壶水，好好地沏壶茶来。”

落魄的中年人道：“你无论遇着谁，千万都莫要提起我在这里。”

麻子点着头笑道：“大爷你放心，小人现在早已不敢再多嘴了。”

他兴冲冲地走了出去，居然还未忘记掩门。

落魄的中年人神色立刻又黯淡了下来，黯然自语：“诗音、诗音，你如此受苦，都是我害了你，我无论如何也要保护你，绝不会让任何人伤害到你！”

阳光照上窗户，天已完全亮了。

茶叶并不好。

但茶只要是滚烫的，喝起来总不会令人觉得难以下咽，这正如女人，女人只要年轻，就不会令人觉得太讨厌。

落魄的中年人慢慢地啜着茶，他喝茶比喝酒慢多了，等这杯茶喝完，他忽然笑了笑，道：“我以前有个很聪明的朋友，曾经说过句很有趣的话。”

麻子赔笑道：“大爷你自己说话就有趣得很。”

落魄的中年人道：“他说，世上绝没有喝不醉的酒，也绝没有难看的少女，他还说，他就是为了这两件事，所以才活下去的。”

他目中带着笑意，接着道：“其实真正好的酒要年代愈久才愈香，真正好的女人也要年纪愈大才愈有味道。”

麻子显然还不能领略他这句话中的“味道”，愣了半晌，替这落魄的中年人又倒了杯茶，才问道：“大爷你这次回来，可有什么事吗？”

落魄的中年人沉默着，过了很久才缓缓道：“有人说，这地方有宝藏……”

麻子失笑道：“宝藏？这地方当真有宝藏，那就好了。”

他忽又敛去了笑容，眼角偷偷瞟着那落魄的中年人，试探着道：“这地方若真有宝藏，大爷你总该知道。”

落魄的中年人叹了口气，道：“你我虽不信这里有宝藏，怎奈别人相信的却不少。”

麻子道：“造谣的人是谁？他为什么要造这种谣？”

落魄的中年人沉吟着道：“他不外有两种用意，第一，他想将一些贪心的人引到这里来互相争夺，互相残杀，他才好浑水摸鱼。”

麻子道：“除此之外，他还有什么别的意思？”

落魄的中年人目光闪动，缓缓道：“我已有许多年未曾露面了，江湖中有许多人都在打听我的行踪，他这样做，也许就是为了要引我现身，诱我出手！”

麻子挺胸道：“出手就出手，有什么关系，也好让那些人瞧瞧大爷你的本事。”

落魄的中年人苦笑道：“这次来的那些人之中有几个只怕连我都对付不了！”

麻子吃惊道：“这世上难道真还有连大爷你都对付不了的人么？”

落魄的中年人还未说话，突然大门外传来一阵敲门声。

一个清亮的声音在喊道：“借问这里可是龙四爷的公馆么？在下等特来拜访。”

麻子喃喃道：“奇怪，这里已有两年连鬼都没有上门，今天怎么会忽然来了客人？”

过了约半个时辰，麻子才笑嘻嘻地回来，一进门就笑道：“今天原来是夫人的生日，连我都忘了，难为那些人倒还记得，是特地来向夫人拜寿的。”

落魄的中年人沉思着，问道：“来的是些什么人？”

麻子道：“一共来了五位，一位是很有气派的老人家，一位是个很帅的小伙子，还有位是个独眼龙，最可怕的是个脸色发绿的人。”

落魄的中年人皱眉道：“其中是否还有位一条腿的跛子？”

麻子点头道：“不错……大爷你怎会知道的，难道也认得他们么？”

落魄的中年人低低地咳嗽，目中却已露出了比刀还锐利的光芒，这种锐利的目光使他看来就仿佛忽然变了个人。

麻子却未注意，笑着又道：“这五人长得虽有些奇形怪状，但送的礼倒真不轻，就连龙四爷以前还在的时候，都没有人送过这么重的礼。”

落魄的中年人道：“哦？”

麻子道：“他们送的八色礼物中，有个用纯金打成的大钱，至少也有四五斤重，我倒真还未见过有人出手这么大方的。”

落魄的中年人皱了皱眉，道：“他们送的礼，夫人可收下来了么？”

麻子道：“夫人本来不肯收的，但那些人却坐在客厅里不肯走，好歹也要见夫人一面，还说他们本是龙四爷的好朋友，夫人没法子，只好叫少爷到客厅里去陪他们了。”

他笑着道：“大爷你莫看少爷小小年纪，对付人可真有一套，说起话来比大人还老到，那几位客人没有一个不夸他聪明绝顶的。”

落魄的中年人凝视着杯中的茶，喃喃道：“这五人既已来了，还会有些什么人来呢？还有什么人敢来呢？”

诸葛刚、高行空、燕双飞、唐独和上官飞此刻正在那家具已大半被搬空了的大厅里，和一个穿红衣服的孩子说话。

这五人虽然都是目空一切的江湖枭雄，此刻对这孩子倒并没有丝毫轻慢之态，说话也客气得很。

只有上官飞仍然静静地坐在那里，一言不发，世上好像没有什么事能使这冷漠的少年人开口的。

诸葛刚面上又露出了亲切和蔼的笑容，道：“少庄主惊才绝艳，意气风发，他日的成就，必然不可限量，但望少庄主那时莫要将我们这些老废物视如陌路，在下等就高兴得很了。”

那孩子也笑道：“晚辈他日的成就若能有前辈们一半，也就心满意足，但那也全得仰仗前辈们的提携。”

诸葛刚拊掌大笑道：“少庄主真是会说话，难怪龙四爷……”

他笑声突然停顿，目光凝视着厅外。

只见那麻子又已肃容而入，跟着走进来的，是个黑巾黑袍，黑鞋黑袜，背后斜背着柄乌鞘长剑的黑衣人。

他身材高大而魁伟，比那麻子几乎宽了一倍，但看来却丝毫不见臃肿，反而显得很瘦削矫健。

他面上带着种奇异的死灰色，双眉斜飞入鬓，目光睥睨间，傲气逼人，颔下几缕疏疏的胡子，随风飘散。

他整个人看来显得既高傲，又潇洒，既严肃，又不羁。

无论谁只要瞧了他一眼，就知道他绝不会是个平凡的人。

诸葛刚等五人对望了一眼，似乎也都在猜此人的来历。

那穿红衣裳的孩子早已迎下石阶，抱拳笑道：“大驾光临，蓬荜生辉，晚辈龙小云……”

黑衣人上下打量了他一眼，截口道："你就是龙啸云的儿子？"

龙小云躬身道："正是，前辈想必是家父的故交，不知高姓大名？"

黑衣人淡淡道："我的名姓说出来你也不会知道。"

他大步走上石阶，昂然入厅。

诸葛刚等五人也站起相迎，诸葛刚抱拳笑道："在下……"

他只说了两个字，黑衣人就打断了他的话，道："我知道你们，你们却不必打听我的来历。"

诸葛刚道："可是……"

黑衣人又打断了他的话，冷冷道："我的来意和你们不同，我只是来瞧瞧的。"

诸葛刚展颜笑道："既然如此，那真是再好也没有了，等此间事完，在下等必有谢意。"

黑衣人道："我不管你们，你们也莫要管我，大家互不相涉，为何要谢？"

他找了张椅子坐下，竟闭目养起神来。

诸葛刚等五人又对望了一眼。

高行空微笑道："久闻此间乃江湖第一名园，不知少庄主可否带领在下等到四处去瞧瞧。"

龙小云叹了口气，道："晚辈无能，致使家道中落，庭园荒废……"

高行空正色截口道："山不在高，有仙则名；水不在深，有龙则灵。十年来此间名侠美人高士辈出，纵是三五茅舍，也已是令人大开眼界了。"

龙小云道："既是如此，各位请。"

"咻"的一声，寒鸦惊起。

一行人穿过小径，漫步而来。

当先带路的是龙小云，走在最后面的就是那黑衣人，他眼睛半张半阖，双手都缩在袖中，神情似乎十分萧索。

龙小云指着远处一片枯萎了的默林，道："那边就是冷香小筑。"

燕双飞眼中光芒闪动，道："听说小李探花昔日就住在那里？"

龙小云低下了头，道："不错。"

燕双飞手掌轻抚着隐在长衫中的飞枪，冷笑着道："他是飞刀，我是飞枪，有朝一日，若能和他较量较量，倒也是快事。"

黑衣人远远地站着，冷冷道："你若真能和他较量，那就是怪事了。"

燕双飞霍然转过身，怒目瞪着他。

第三十一章

小李飞刀

龙小云见燕双飞似已怒极，赶紧笑道："他的飞刀也是凡铁所铸，又不是什么仙兵神器，但江湖中人却说得他就好像传说中的剑仙一样，我有时听了真觉得有些好笑。"

黑衣人淡淡道："听说他废去了你的武功，你对他想必是一直怀恨在心。"

龙小云笑道："李大叔本是我的长辈，长辈教训晚辈，晚辈怎敢起怀恨之心，何况一个人不会武功，也未必就不能做大事的，前辈你说是么？"

他笑得是那么无邪。

黄衣人凝视着他，似也看不透这孩子的真面目。

诸葛刚却已拊掌笑道："有志气，果然有志气！就凭这句话，已不愧为龙四爷的公子。"

龙小云躬身道："前辈过奖了。"

上官飞忽然道："听说林仙儿本也住在那里的，是么？"

他毕竟是开口了，连龙小云都似觉得有些诧异，赔笑道："不错。"

上官飞道："她到哪里去了？"

龙小云道："林阿姨是在两年前的一个晚上突然失踪的，连自己的衣服首饰都未带走，谁也不知道她去了哪里，有人说，她是被阿飞掳走的，也有人说她已死在阿飞手上。"

上官飞皱了皱眉，闭上嘴再也不说话了。

一行人走过小桥，来到了那小楼前。

诸葛刚目光闪动，似乎对这小楼特别感兴趣。

高行空已问道："不知这又是什么所在？"

龙小云道："这就是家母的居处。"

高行空笑道："在下等本是来向令堂大人拜寿的，不知少庄主可容我等上楼拜见。"

龙小云眼珠子一转，笑道："家母一向不愿见客，待晚辈先上去说一句好么？"

高行空道："请。"

龙小云慢慢地走上楼，身形竟已有些佝偻，全无少年人的活泼之态。

高行空等他上了楼，才低声冷笑道："这孩子鬼得很，长大了倒真不得了。"

唐独笑道："像他这样的小孩子，能活得长才是怪事。"

诸葛刚面上笑容已不见，沉声道："你认清楚了就是这地方么？"

高行空声音压得更低，道："我已将昨夜来的那封信仔细研究过数次，李家的宝藏，就在这小楼里，据说他们数代高官，珍宝聚集之丰，天下无人能及。"

他一面说话，一面用眼角瞟着那黑衣人。

黑衣人远远地站在那里，正低着头在看草丛中两只蟋蟀相斗，似乎根本未注意他们在说话。

诸葛刚眼睛发着光，道："珍宝倒还是小事，但老李探花的古玩字画，和小李探花的武功秘籍，却是帮主志在必得的，你我今日万万不可空手而回。"

高行空点头，龙小云已走下了楼。

诸葛刚立刻展颜而笑，道："令堂大人可曾答应了么？"

龙小云面上带着诧异之色，摇着头道："家母不在楼上。"

诸葛刚淡淡皱了皱眉，道："到哪里去了？"

龙小云道："晚辈也在奇怪，家母一向很少下楼的。"

诸葛刚道："既是如此，想必就会回来的，我们上楼去等她吧。"

只见三个黄衫人快步奔了过来，道："待属下等先上去打扫打扫，再请堂主上楼。"

这三人本来站得比那黑衣人还远，此刻飞步而来，龙小云似乎想阻拦，又不敢阻拦，终于还是让开了路。

诸葛刚沉吟着，挥手道："你们先上去瞧瞧也好，只不过……"

他话还未说完，三个黄衫人脚步还未停，小楼忽然跃下了一条人影，人在空中，手里的长鞭已挥出。

只听"呼"的一声，三丈长鞭忽然抖出了三个圆圈，不偏不倚恰巧套上了这三人的脖子。

长鞭一松，"咯"的一声，又松开。

第一人连声音都未发出，就已倒了下去，头颅软软地歪在一边，脖子竟已生生被长鞭勒断了。

第二人惨呼了一声，仰天跌倒，舌头已吐出来，双眼怒凸，急剧地喘息了几声，终于还是断了气。

第三人手掩着咽喉，奔出数步，才扑面跌倒，身子不停地在地上颤动着，喉咙里发出了一连串咯咯之声。

他侥幸还未死，却比死还要痛苦十倍。

自小楼上掠下的人这时才飘落下地，一张枯瘦蜡黄的马脸上，带着比巴掌还大的一块青记，赫然正是"鞭神"西门柔。

他一鞭挥出，就有三人倒地，连诸葛刚都不禁为之悚然动容。

只有那黑衣人面上却露出不屑之色，淡淡道："鞭神蛇鞭原来也不过如此。"

他仰起头，长长叹了口气，意兴似乎更萧索。

他似乎觉得很失望。

要知西门柔这一鞭力道若是用足，那三人便得立刻同时死在他鞭下，但此刻三人死时既有先后，死法也不一样，显见西门柔这一鞭力量拿捏得还未能恰到好处，是以鞭上的力道分布不匀，火候还差了半分。

诸葛刚眼睛亮了，阴恻恻笑道："西门柔，昨夜你侥幸逃脱，今日看你还能逃得了么？"

西门柔铁青着脸，掌中蛇鞭突又飞出。

这一鞭来得无声无息，直到鞭梢卷到后，才听到"哧"的一声急响，显见他这一鞭速度之快，犹在声音之上。

就在这时，诸葛刚身子突然倒翻而起，铁拐凌空迎上了长鞭，鞭梢反卷，立刻毒蛇般将铁拐卷住。

只听“笃”的一声，铁拐插入地下。

诸葛刚单足朝天，倒立在铁拐上，整个人忽然有如陀螺般旋转起来，铁拐也围着他转。

缠在铁拐上的长鞭，愈缠愈紧，愈卷愈短，西门柔的人也不由自主被拉了过来，三丈长的蛇鞭转瞬间已有大半被卷在铁拐上。

只因西门柔单手挥鞭，诸葛刚却是全身都支在铁拐上，是以西门柔鞭上的力道，无论如何也万万比不上铁拐之强。

他面色由青变红，由红变白，一粒粒汗珠由鼻子两侧沁了出来。

诸葛刚大喝一声，倒立在铁拐上的身子，忽然横扫而出。

这一招看来活脱脱又是一招“横扫千军”，只不过他以人作拐扫出，却以拐作人钉在地上。

铁拐是死的，人却是活的，这一招“横扫千军”被他使出来，实已脱胎换骨，妙到毫巅。

西门柔若将鞭撒手，自然可以避开这一着，只是他以“鞭神”为号，若将长鞭撒手，以后还有何面目见人。

他长鞭若不撒手，只有以剩下的左手硬碰硬去接这一脚，手上的力量怎及脚上强，这一招接下，他这只手势必要被踢碎。

其实若论武功内力，临阵变化，西门柔都绝不在诸葛刚之下，但诸葛刚这一招“横扫千军”却是练来专门对付西门柔的。

西门柔毕竟也是一等一的高手，临危不乱，轻叱一声，身形忽然展动，围着铁拐飞转不停。

他自然是想将缠在铁拐上的长鞭撤出，怎奈诸葛刚却也早已算准了他这一着，足尖一踢，身子如倒扯风旗，也随着旋转起来，足尖始终不离西门柔前胸方寸之间，如影随形，如疽附骨。

这一招变化之生动奇妙，委实无与伦比。

只有那黑衣人却又叹了口气，喃喃道：“金刚铁拐原来也不过如此……”

要知诸葛刚这一招时间部位若真拿捏得分毫不差，这一脚踢出，西门柔便该无处闪避应声倒地。

此刻他这招使得显然还慢了一些，但纵然如此，西门柔已是被逼入死地，危在顷刻。

他身形虽快，但绕着圆圈在外飞转，无论如何也不如圆中心的铁拐急，眼见长鞭已愈收愈短，他若不撒手抛鞭，就得伤在诸葛刚足下。

唐独目光闪动，阴恻恻笑道："死到临头，又何必再作困兽之争，我来助你一臂之力吧！"

他双手一伸一缩，已撤出了他的独门长刃"螳螂刀"，只见惨碧色的光华一闪，交剪般向西门柔后背划了过去。

但他的刀刚挥出，人刚跃起，突然像是被只无形的手迎面击了一拳，整个人突然倒翻而出，仰天跌倒在地上。

他连一声惨叫声还未发出，呼吸已立刻停顿了！因为他咽喉上已插着一把刀!

一把看来并没有什么特别的小刀!

每个人的脸色都变了。

诸葛刚眼角也瞥见了这柄刀，立刻失声道："小李飞刀！"

这一声唤出，他心神已分，真力已散，身子突然向反方向转动起来，但却已是身不由己。

西门柔手腕一紧，已抽出了他的蛇鞭!

诸葛刚凌空一个翻身，倒掠两丈，"笃"的一声，铁拐落地，他的人也立刻又似钉在地上，稳如泰山。

但他的眼睛却是惊慌不定，只见小楼外已慢慢地走出一个人来。

这人衣衫褴褛，头发蓬乱，看来是那么潦倒，那么憔悴，但他的一双眼睛却比刀还要锐利。

诸葛刚的手紧握铁拐，指节却已因用力而发白，嗄声道："小李探花？"

这人淡淡笑了笑，道："不敢。"

"笃"的一声，诸葛刚不由自主又退后了一步，厉声道："你我素无冤仇，你何苦来跟我们作对？"

李寻欢淡淡道："我从不愿和人作对，却也不喜欢别人跟我作对。"

他轻抚着手里的刀锋，悠悠道："这里并没有什么宝藏，各位徒劳往返，我也觉得抱歉得很……各位走的时候，就请将带来的礼物再带走吧。”

诸葛刚、上官飞、高行空，眼睛盯着他手里的刀锋，咽喉里就像是已被件冰冷的东西塞住，再也说不出一句话来。

燕双飞忽然大喝一声，道：“我们若不走又待如何？”

李寻欢淡淡一笑，道：“奉劝阁下，不如还是走了的好。”

燕双飞厉声道：“李寻欢，我早就想和你一较高低了，别人怕你，我燕双飞却不怕你！”

他反手扯开了长衫，露出了前胸两排飞枪。

只见红缨飘飞，枪尖在秋日下闪闪地发着光，就像是两排野兽的牙齿，在等着择人而噬。

李寻欢却连瞧也未瞧他一眼。

燕双飞大喝一声，双手齐挥，转眼间已发出九柄飞枪，但见红缨漫天，还未击到李寻欢面前，突又纷纷掉了下来。

再看燕双飞竟已仰天跌倒，咽喉上赫然已多了柄雪亮的飞刀！

小李飞刀！

谁也未看出这柄刀是何时刺入他咽喉的，但显然就在他双手刚挥出的那一刹那间。

他手上的力量还未完全使出，刀已刺入了他咽喉，是以发出去的飞枪势力也不足，才会半途跌落在地。

好快的刀！

燕双飞双睛怒凸，目中充满了惊疑不信之色，他一直认为自己出手已够快的了，始终不信还有比他更快的。

他死也不信世上竟有如此快的刀！

那黑衣人俯首瞧了瞧燕双飞的尸身，嘴角露出一丝冷笑，淡淡道：“我早已说过，你若能和他较量，那才是怪事，你如今相信了么？”

他缓缓抬起头，凝视着李寻欢一字字道：“小李飞刀果然未令我失望。”

李寻欢道：“阁下是……”

黑衣人打断了他的话，缓缓道：“我久慕小李探花之名，今日相见，却无以为敬……”

他说到这里，突然旋身。

只听“锵”的一声龙吟，剑已出手。

剑身也是乌黑色的，不见光华，但剑一出鞘，森寒的剑气已逼人眉睫。

高行空只觉心头一寒，乌黑的剑已无声息到了他双目之间，森寒的剑气已针一般刺入了他眼睛。

他刚闭上眼睛，疼痛已消失。

他已倒了下去。

诸葛刚只看到铁剑一挥，高行空眉心的血就已箭一般飙出，非但没有招架，也没有闪避。

他了解高行空的武功，也知道高行空绝不是这黑衣人的敌手，但他却不懂高行空为何连闪避都没有闪避。

可是这时他已没有再思索的余地，他只觉一阵砭人肌肤的寒气袭来，当下大喝一声，铁拐带着风声横扫而出。

他号称“横扫千军”，以“横扫千军”成名，这一招“横扫千军”使出来，实在是神气十足，威不可当。

黑衣人铁剑反手挥出。

只听“当”的一声，火星四溅，六十三斤的金刚铁拐迎着剑锋便已断成两截，铁剑余势更猛！

诸葛刚但觉面目一寒，也不再有痛苦。

他也倒了下去。

这只不过是顷刻间事，西门柔忽然仰天长叹了一声，黯然道：“看来今日之江湖，已无我西门柔争雄之地了……”

他跺了跺脚，冲天掠过，只一闪便已消失在屋脊后。

他身形刚掠起，上官飞身形也展动。

就在这时，剑气已扑面而来。

上官飞长啸一声，掌中子母钢环突出。

又是“叮”的一声，火星四溅，钢环竟将铁剑生生夹住。

黑衣人轻叱道：“好！”

“好”字出口，他铁剑一横，钢环齐断。

剑已逼住了上官飞咽喉。

上官飞闭上了眼睛，面上仍是冷冷淡淡，全无表情，这少年的心肠就像是铁石所铸，既不知道什么是惊慌，也不知道什么是恐惧。

黑衣人盯着他，冷冷道："你可是上官金虹的门下弟子？"

上官飞点了点头。

黑衣人道："我剑下本来从无活口，但你年纪轻轻，能接我一剑也算不易……"

他平转剑锋，轻轻在上官飞肩头一拍，道："饶你去吧！"

上官飞还是站着不动，缓缓张开了眼睛，瞪着黑衣人道："你虽不杀我，但有句话我却要对你说明。"

黑衣人道："你说。"

上官飞一字字道："今日你虽放了我，他日我却必报此仇，到那时我绝不会放过你！"

黑衣人突然仰天大笑起来，道："好，果然不愧是上官金虹的儿子……"

他笑声骤然停顿，瞪着上官飞道："他日你若能令我死在你手上，我非但绝不怪你，而且还会引以为傲，因为毕竟没有看错了人。"

上官飞面上仍然毫无表情，道："既是如此，在下就告辞了！"

黑衣人挥手道："你好好干去吧，我等着你！"

上官飞目光凝视着他，慢慢躬身一揖，慢慢地转过身……

黑衣人突又喝道："且慢！"

上官飞慢慢地停下了脚步。

黑衣人道："你记着，今日我放你，并非因为你是上官金虹之子，而是因为你自己！"

上官飞没有回头，也没有说话，慢慢地走了出去。

黑衣人目送着上官飞的背影，良久良久，才转过身面对着李寻欢，以剑尖指着地上的两具尸身，淡淡道："今日相见，无以为敬，谨以此二人为敬，聊表寸心。"

李寻欢沉默着，凝视着他掌中铁剑，忽然道："嵩阳铁剑？"

黑衣人道："正是郭嵩阳。"

李寻欢长长叹了口气，道："嵩阳铁剑果然名下无虚！"

郭嵩阳也俯首凝视着自己掌中的铁剑，缓缓道："却不知嵩阳铁剑比起小李飞刀又如何？"

李寻欢淡淡一笑，道："我倒不想知道这答案。"

郭嵩阳道："为什么？"

李寻欢道："因为……你我无论谁想知道这答案，只怕都要后悔的。"

郭嵩阳霍然抬头。

他灰色的脸上，似已起了种激动的红晕，大声道："但这件事迟早还是要弄明白的，是么？"

李寻欢长叹着，喃喃道："我只希望愈迟愈好……"

郭嵩阳厉声道："我倒希望愈早愈好。"

李寻欢道："哦？"

郭嵩阳道："你我一日不分高下，我就一日不能安心。"

李寻欢沉默了许久，才又叹了口气，道："你想在什么时候？"

郭嵩阳道："就在今日！"

李寻欢道："就在此地？"

郭嵩阳目光一扫，冷笑道："此间本是你的旧居，我若在此地与你交手，已被你先占了地利。"

李寻欢微笑着点了点头，道："不错，就凭这句话，阁下已不愧为绝顶高手。"

郭嵩阳道："但时间既已由我来选，地方便该由你来决定。"

李寻欢笑了笑，道："那倒也不必。"

郭嵩阳也沉默了许久，才断然道："好，既是如此，请随我来！"

李寻欢道："请。"

他走了两步，却又忍不住回头向小楼上望了一眼。

他这才发现龙小云一直在狠狠地盯着他，目中充满了怨毒之色。

郭嵩阳的铁剑无论多神妙，诸葛刚无论死得多么惨，都未能使这孩子的目光移开片刻。

但李寻欢一看到他，他立刻就笑了，躬身道："李大叔，你老人家好。"

李寻欢暗中叹息了一声，微笑着道：“你好。”

龙小云道：“家母时时刻刻在惦记着你老人家，大叔你也该常来看看我们才是。”

李寻欢苦笑着点了点头。

这孩子的话，常常都使他不知该如何回答才好。

龙小云眼珠子一转，突然拉住了他的衣袖，悄声道：“那人看样子很凶恶，大叔还是莫要跟他去吧。”

李寻欢苦笑道：“你长大了就会知道，有些事你纵然不愿意去做，却也非做不可的。”

龙小云道：“可是……可是……大叔你若万一有个三长两短，还有谁会来保护我们母子两人呢？”

李寻欢似乎突然怔住了。

也不知过了多久，他再次抬起头来的时候，才发现林诗音不知何时已出现在楼头，正俯首凝视着他们。

她目中虽有叙不尽的怨苦，却又带着些欣慰之色。

她的爱子终于和李寻欢和好了，而且看来还如此亲密，世上还有什么更令她觉得高兴的事呢？

李寻欢只觉心里一阵刺痛，竟不敢再抬头。

龙小云已高声唤道：“妈，你看，李大叔刚来就要走了。”

林诗音勉强笑了笑，道：“李大叔有事，他……他不能不走的。”

她的笑容看来是那么凄凉，那么幽怨，李寻欢此刻若是抬头看到，他的心只怕要碎了。

龙小云道：“妈，你难道没有什么话要跟李大叔说么？”

林诗音的嘴唇轻轻颤抖着，道：“有什么话等他回来时再说也不迟。”

龙小云嘟起了嘴，眨着眼道：“我看……李大叔这一去，只怕就再也回不来了。”

林诗音轻叱道：“胡说，快上来，让李大叔走。”

龙小云终于点了点头，缓缓放开李寻欢的衣袖，垂首道：“好，大叔你走吧，也不必再记挂我们，我母子反正是无依无靠惯了，谁都不必为我们担心。”

他揉着眼睛，似已在啼哭。

郭嵩阳已走上了小桥头，正抱着手在冷冷地瞧着他们。

李寻欢终于转身走了过去。

他既没有抬头去瞧一眼，也没有说话。

此时此刻，无论说什么都已是多余的，何况，他也根本不知道该说什么，也不敢再看林诗音的眼色。

一个人若用情太专，看来反倒似无情了。

直到他走远，龙小云才抬起头，盯着他的背影，目中充满了怨毒之意，嘴角也带着种恶毒的微笑，喃喃道："我知道你现在心里一定很难受，我就是要你难受，无论谁像你这样的心情时还要去跟郭嵩阳这样的高手决斗，实无异自寻死路！"

墙外的秋色似乎比墙内更浓。

郭嵩阳双手缩在衣袖中，慢慢地在前面走着。

李寻欢默默地跟在他身后。

路很长，窄而曲折，也不知尽头处在哪里。

秋风瑟瑟，路旁的草色已枯黄。

郭嵩阳走得虽慢，步子却很大。

李寻欢目光凝视着他的脚步，似已看得出神。

路上的土质很松，郭嵩阳每走一步，就留下个浅浅的脚印，每个脚步的深浅都完全一样。

每个脚步间的距离也完全一样。

他看来虽似在漫不经心地走着，其实却正在暗中催动着身体里的内力，他的手足四肢已完全协调。

是以他每一步踏出，都绝不会差错分毫。

等他的内力催动到极致，身体四肢的配合协调也到了巅峰时，他立刻就会停下来——

那就是路的尽头。

第三十二章

知己仇敌

到了那里，他们两人中就有一人的生命也到了尽头！

李寻欢很明白这点。

郭嵩阳的确是很可怕的对手。

李寻欢这一生中，也许直到今天才遇着个真正的对手！

每个练武的人，武功练到巅峰时，都会觉得很寂寞，因为到了那时，他就很难再找到一个真正的对手。

所以有人不惜“求败”，因为他觉得只要能遇着一个真正的对手，纵然败了，也是愉快的。

但李寻欢此刻的心情却一点也不愉快。

他的心乱极了。

他知道以自己此刻这种心情，去和郭嵩阳这样的对手决斗，胜算实不多，自己这一去，能回来的机会只怕很少。

这条路的尽头处，也许就是他生命的尽头处！

这条路也许就是他的死路！

他并不怕死，可是他现在能死么？

四野愈来愈空旷，远远可以望见一片枫林。

枫叶红如血。

“难道那就是路的尽头？”

郭嵩阳的步子愈来愈大，留下来的脚印却愈来愈淡了，显见他身体内外一切都已渐渐到达巅峰。

到那时，他的精神、内力、肉体，都将和他的剑融而为一，他的剑就不再是无知的钢铁，而有了灵性。

到那时，他一剑刺出，必将是无坚不摧、势不可当的。

李寻欢突然停下了脚步。

他并没有说话，也没有发出丝毫声音，但郭嵩阳却已感觉到了，他的精神已进入虚明，已浑然忘我。

天地间万事万物的变化，都再也逃不出他的耳目。

他没有回头，一字字道："就在这里？"

李寻欢沉默了很久，缓缓道："今天……我不能和你交手！"

郭嵩阳霍然转过身，目光刀一般瞪着李寻欢，厉声道："你说什么？"

李寻欢垂下了头，心在刺痛着。

他知道到了这时再说"不能交手"，实无异临阵脱逃，这种事他本来宁死也不肯做的。

但现在却非做不可。

郭嵩阳厉声道："你说你不能和我交手？"

李寻欢无言地点了点头。

郭嵩阳道："为什么？"

李寻欢长长地叹了口气，道："我承认败了！"

郭嵩阳睁大了眼睛，瞪着他，就像是从未见过这个人似的。

良久良久，郭嵩阳忽也长长叹息了一声，道："李寻欢，李寻欢，你果然不愧为当世的英雄！"

李寻欢黯然笑一笑，道："英雄？像我这样的人能算是英雄？"

郭嵩阳摇了摇头，叹息着道："普天之下，也许只有你才能算得上是英雄！"

李寻欢还没有说话，郭嵩阳已接着道："你说你已承认败了，是么……但我却知道一个人肯认输时需要多大的勇气，这句话我也许宁死也不愿说的。"

他笑了笑，又接着道："但死却容易多了，能为了别人而宁可自己认输，自己受委屈，这才是真正的英雄！真正的男子汉！"

李寻欢嗄声道："你……"

他只觉心头激动，不能自已，只说一个字喉咙就似已被塞住。

郭嵩阳道："我很了解你，你说你不能和我交手，只因你觉得你自己现在还不能死，你知道还有人需要你照顾，你不能抛下她不管！"

李寻欢黯然无言，热泪几乎已将夺眶而出。

一个最可靠的朋友，固然往往会是你最可怕的仇敌，但一个可怕的对手，往往也会是你最知心的朋友。

因为有资格做你对手的人，才有资格做你的知己。

因为只有这种人才能了解你。

李寻欢心里也不知是高兴，是难受，还是感激，只不过无论是哪种感情，都是他无法说出口来的。

郭嵩阳忽然又道："但我今日还是非和你交手不可！"

李寻欢愣了愣，道："为什么？"

郭嵩阳淡淡一笑，道："普天之下，又有几个李寻欢？今日我若不与你交手，他日再想找你这样对手，只怕是永远找不到的了！"

李寻欢缓缓道："只要此间事了，阁下他日相邀，我随时奉陪。"

郭嵩阳摇了摇头，道："到那时，你我只怕更无法交手了。"

李寻欢道："为什么？"

郭嵩阳目光移向远方，远方天上，正有朵白云冉冉飘动。

他面上带着一丝黯淡的微笑，一字字道："到那时，你我说不定已成了朋友！"

李寻欢沉默了很久，黯然道："宁可与我为敌，却不愿做我的朋友？"

郭嵩阳沉下了脸，厉声道："郭某此生已献与武道，哪有余力再交朋友？何况……"

他语声又渐渐和缓，接着道："朋友易得，能肝胆相照的对手却无处可寻……"

这"肝胆相照"四字，本是用来形容朋友的，他此刻却用来形容仇敌，若是别人听到，非但难以明了，只怕还会发笑。

但李寻欢却很了解他的意思。

郭嵩阳道："放眼天下，能与我一决生死的对手，自然不止你一人，但武力纵然强胜我十倍的人，我也未必放在眼里，若要我死在他们手上，更是心有不甘！"

李寻欢叹道："不错，要找个能令你尊敬的朋友并不困难，要找个能令你尊敬的仇敌却太难了。"

郭嵩阳厉声道："正是如此，是以今日你我一战，势在必行，郭嵩阳今日纵然死于你手，亦是死而无憾！"

李寻欢黯然道："可是我……"

郭嵩阳扬手打断了他的话，道："你的意思我都了解，今日你若不幸战死，你的未了心愿，我必替你完成，你所要保护的人，我绝不容许他人伤及她毫发。"

李寻欢长揖到地，肃然道："得此一言，李寻欢死有何憾……多谢！"

他生平从未向人说过"谢"字，此刻这"多谢"二字却是发自心底。

郭嵩阳也还了一揖，肃然道："多谢成全，请！"

李寻欢道："请！"

朋友间能互相尊敬，固然可贵，但仇敌间的敬意却往往更难得，也更令人感动。

只可惜这种情感永远是别人最难了解的！

也许就因为它难以了解，所以才更弥足珍贵。

风吹过，卷起了漫天红叶。

枫林里的秋色似乎比林外更浓了。

剑气袭人，天地间充满了凄凉肃杀之意。

郭嵩阳反手拔剑，平举当胸，目光始终不离李寻欢的手。

他知道这是只可怕的手。

李寻欢此刻已像是变了个人似的，他头发虽然是那么蓬乱，衣衫虽仍那么褴褛，但看来已不再潦倒，不再憔悴。

他憔悴的脸上已焕发出一种耀眼的光辉。

这两年来，他就像是一柄被藏在匣中的剑，韬光养晦，锋芒不露，所以没有人能看到它灿烂的光华。

此刻剑已出匣了。

他的手伸出，手里已多了柄刀！

一刀封喉，例无虚发的小李飞刀！

风更急，穿林而过，带着一阵阵凄厉的呼啸声。

郭嵩阳铁剑迎风挥出，一道乌黑的寒光直取李寻欢咽喉，剑还未到，森寒的剑气已刺碎了西风。

李寻欢脚步一溜，后退了七尺，背脊已贴上了一棵树干。

郭嵩阳铁剑已随着变招，笔直刺出。

李寻欢退无可退，身子忽然沿着树干滑了上去。

郭嵩阳长啸一声，冲天飞起，铁剑也化作了一道飞虹。

他的人与剑已合而为一。

逼人的剑气，摧得枝头的红叶都飘飘落下。

离枝的红叶又被剑气所摧，碎成无数片，看来就宛如满天血雨。

这景象凄绝。亦艳绝。

李寻欢双臂一振，已掠过了剑气飞虹，随着红叶飘落。

郭嵩阳长啸不绝，凌空倒翻，一剑长虹突然化作了无数光影，向李寻欢当头洒了下来。

这一剑之威，已足以震散人的魂魄！

李寻欢周围方圆三丈之内，都已在他剑气笼罩之下，无论任何方向闪避，都似已闪避不开的了。

只听“叮”的一声，火星四溅。

李寻欢手里的小刀，竟不偏不倚迎上了剑锋。

就在这一瞬间，满天剑气突然消失无影，血雨般的枫叶却还未落下，郭嵩阳木立在血雨中。

他的剑仍平举当胸。

李寻欢的刀也还在手中，刀锋却已被铁剑折断！

他静静地望着郭嵩阳，郭嵩阳也静静地望着他。

两个人面上都全无丝毫表情。

但两个人心里都知道，李寻欢这一刀已无法再出手。

小李飞刀，急如闪电，就因为刀锋破风，其势方急，此刻刀锋既已折断，速度便要大受影响。

这柄刀纵然出手，也是无法伤人的了。

常胜不败的小李飞刀，此刻竟是有败无胜。

李寻欢的手缓缓垂下。

最后的一点枫叶碎片也已落下。枫林中又恢复了静寂。

死一般的静寂。

郭嵩阳长长叹息了一声，慢慢地插剑入鞘。

他面上虽仍无表情，目中却带着种萧索之意，黯然道："我败了！"

李寻欢道："谁说你败了？"

郭嵩阳道："我承认败了！"

他黯然一笑，缓缓接着道："这句话我本来以为死也不肯说的，现在说出了，心里反觉痛快得很，痛快得很，痛快得很……"

他一连说了三遍，忽然仰天而笑。

凄凉的笑声中，他已转身大步走出枫林。

李寻欢目送他远去，又弯下腰不停地咳嗽起来。

就在这时，突然一人拍手道："了不起，了不起，实在太了不起……"

声音清脆，如出谷黄莺。

李寻欢抬起头，就看到一个梳着大辫子的小姑娘穿林而来，竟是那说书老人的孙女儿。

她连那双动人的大眼睛里都带着笑意，道："能看到两位今日一战，连我也死而无憾的了！"

李寻欢也许还没有说话的心情，所以只笑了笑。

辫子姑娘道："昔日帝王谷主萧王孙与蓝大先生战于泰山绝顶，蓝大先生持百斤大铁锥，萧王孙用的却是根衣带，他以至柔敌至刚，与蓝大先生恶战一昼夜，据说天地皆为之变色，日月也失却光彩。"

她娇笑道："你说这一战精彩不精彩？"

李寻欢微笑道："听姑娘说得如此生动，我几乎也像是到了泰山绝顶，得见帝王谷主与蓝大先生的雄风，实在是精彩极了。"

辫子姑娘抿嘴笑道："想不到你说的话比你的飞刀还要厉害得多。"

李寻欢道："哦？"

辫子姑娘娇笑道："你一剑虽然可以要人的命，但你只要说一句话，却可令女孩子们将心都交给你，要女人的心，岂非比要男人的命困难多了么？"

她用那双勾魂摄魄的大眼睛瞟着他，连李寻欢都已觉得有些受不了，他从未想到这小姑娘竟如此“可怕”。

幸好辫子姑娘已接着道：“昔年‘水母’阴姬号称天下第一高手，但‘侠盗’楚留香的胆子却比天还大，竟直闯神水宫，独斗阴姬。两人由地上打到水里，再由水里打到半空，‘水母’阴姬的武功虽无敌，到最后还是被楚留香打败了！”

她又娇笑着问道：“你说这一战精彩不精彩？”

李寻欢不敢再多话，点头笑道：“精彩极了。”

辫子姑娘道：“这些战役虽然惊天动地，而且还能名留千古，但比起两位方才那一战来，却还是差得远了。”

李寻欢笑道：“我一向不是个谦虚的人，却也有自知之明，姑娘也未免太过奖了吧。”

辫子姑娘正色道：“我说的是真话，你本有三次机会可致郭嵩阳的死命，但却都未出手，到后来你杀气已竭，刀锋已折，郭嵩阳说不定已可将你置于死地，但他却心甘情愿地认败服输了……”

她轻轻叹了口气，接着道：“像你们这样，才真正是男子汉大丈夫，才真正无愧于英雄本色，你若一刀杀了他，他若一刀杀了你，你们的武功就算再高，我也不会瞧在眼里。”

李寻欢默然半晌，长叹道：“郭嵩阳的确不愧为真英雄！”

辫子姑娘道：“你呢？”

李寻欢苦笑着摇了摇头，道：“我？……我又算得了什么！”

辫子姑娘眼珠子一转，道：“我问你，他第一剑挥出，用的是什么招式？”

李寻欢道：“风卷流云。”

辫子姑娘道：“第二招呢？”

李寻欢道：“流星追月。”

辫子姑娘道：“他由第一招‘风卷流云’，变为第二招‘流星追月’时，变化太急，是以剑法中就有了破隙，你的飞刀若在那一刹那间出手，是不是立刻可以要他的命？”

李寻欢不说话了。

第三十三章

惊人之语

辫子姑娘道："这是你错过杀他的第一次机会，你还要不要我再说第二次？"

李寻欢苦笑道："不说也罢。"

辫子姑娘冷笑道："别人都说李寻欢是个真正的男人，想不到原来也有些娘娘腔。"

李寻欢平生也挨过不少骂，但被人骂作"娘娘腔"，这倒还真是生平第一次，他实在有些哭笑不得。

辫子姑娘的大眼睛瞅着他，道："你既然没话说，为什么不咳嗽呢？"

李寻欢叹了口气，道："姑娘目光如炬，想必也是位高人，我倒失敬了。"

辫子姑娘又嫣然一笑，抿着嘴道："你少捧我，我还没有你肩膀那么高，怎么能算是高人？"

李寻欢果然已忍不住咳嗽起来。

辫子姑娘柔声道："我知道你一向不愿自夸自赞，总是替别人吹嘘，这是你的好处，却也正是你的毛病，一个人既然活着，就不能太委屈自己。"

李寻欢道："姑娘……"

辫子姑娘嘟起嘴，道："我既不姓'姑'，也不叫作'娘'，你为什么总是叫我姑娘。"

李寻欢也笑了，他忽然觉得这女孩子很有趣。

辫子姑娘板着脸道："我姓孙，叫孙小红，可不是上官金虹那个'虹'，而是红黄蓝白那个'红'。"

李寻欢道："在下李……"

辫子姑娘道："你的名字我早就知道了，而且早就想找你斗一斗！"

李寻欢愕然道："斗什么？"

孙小红咯咯笑道："我自然不会找你斗武功，若论武功，我再练一百年也比不上你，我是想找你斗酒的，我只要听说有人酒量比我好，心里就不服气。"

李寻欢失笑道："我知道喝酒的人都有这毛病，却想不到你也有同病。"

孙小红道："只不过我现在找你斗酒，未免占了你的便宜。"

李寻欢道："为什么？"

孙小红板起了脸，正色道："你方才和人拼过命，体力自然差些，酒量也未免要打个折扣，喝酒也和比武一样，天时地利人和，这三样是一样也差不得的。"

李寻欢笑道："就凭你这一句话，已不愧为酒中高手，能与你这样的高手斗酒，醉亦无憾。"

孙小红大眼睛里发出了光，那是种欣喜的光芒，也是种赞赏的光芒，但她的脸却还是故意板着，道："那么……我既已占了天时，就不能再占地利，这地方就由你来选吧。"

李寻欢忍住了笑，道："既是如此，请随我来。"

孙小红道："请！"

黄昏以前，正是一天中生意最清淡的时候。

孙驼子正坐在门口晒太阳。

就在这时候，李寻欢带着孙小红来了，孙驼子再也想不到这两人会凑在一起，而且还有说有笑的。

这两人会成为朋友，倒真是件怪事。

李寻欢故意不去看孙驼子的表情，心里却也觉得好笑，他实在连自己也不知道自己怎会和这位小姑娘交上朋友的。

这位小姑娘说起话来就像是百灵鸟，一开口就叽叽喳喳地说个不停，而且有时简直叫人招架不住。

李寻欢一向认为世上只有两件事最令他头疼。

第一件就是吃饭时忽然发现满桌上的人都是不喝酒的。

第二件就是忽然遇着个多嘴的女人。

这第二件事往往比第一件事更令他头疼十倍。

奇怪的是，他现在非但一点也不觉得头疼，反而觉得很愉快。

大多数酒量好的人，总喜欢有人来找他拼酒的，只要有人来找他拼酒，别的事都可暂时放到一边。

这拼酒的对手若是个漂亮女人，那就更令人愉快了。

一个女人若是又聪明、又漂亮、又会喝酒，就算多嘴些，男人也可以忍受的——但除了这种女人外，别的女人还是少多嘴的好。

一路上，李寻欢已知道，那说书的老头子叫孙白发，就是这位孙小红姑娘的爷爷，她父母很早就死了，一直都是跟着爷爷过活的，祖孙两人相依为命，简直从来也没有一天离开过。

听到这里，李寻欢就忍不住要问她："那么你爷爷现在为何没有在你身边呢？"

孙小红这次的回答倒很简单。她说："我爷爷到城外接人去了。"

李寻欢本来还想问她："接人为何要到城外去接？"

"接的人是谁？"

"既然只不过是去接人，为什么不带你去？"

但李寻欢一向很识相，也一向不愿被人看成是个多嘴的男人——和孙小红在一起，也根本就没有机会让他多嘴。

她好像存心不让李寻欢再问第二句话，已抢着先问他：

"小李飞刀，例不虚发，你这手飞刀是怎么练出来的呢？

"听说你有个好朋友叫阿飞，他出手之快，也和你差不多，但现在他已忽然失踪了，你知不知道他在哪里？

"你也失踪了两年，江湖中谁也想不到你原来一直躲在孙驼子的小店里，你为什么要躲在那里？

"现在你行藏既露，以后来找你的人一定不少，你是不是还打算留在这里？如果你想走，又要去哪里？

"梅花盗究竟是什么人？

"他已有两年未露面，是不是已被人除去了？

“他是被谁除去的？是不是你？”

孙小红问的这些话，李寻欢一句也没有答复——有些话固然是他不愿回答的，有些话却连他自己也不知该如何回答。

他早已猜出林仙儿就是梅花盗。

他也早已知道阿飞是绝不忍向林仙儿下手的。

那天，他还是让阿飞去了，他知道这少年的外表虽冷酷，但心里面却蕴藏像火一般的热情。

他知道阿飞必定是带着林仙儿走了。

但他们到哪里去了呢？

林仙儿以后是不是会洗心革面，重新做人？

林仙儿是不是真的会对阿飞生出感情？

想起这些问题，李寻欢就不免要叹息。

他也不知道今后自己该怎么打算。

直到了孙驼子的小店，坐了下去，他才暂时停止去想这些令他烦恼的事，因为这时酒已摆到他面前。

孙小红一直在瞅着他，眼睛里带着温柔的笑意。仿佛她不但很欣赏这个人，也很了解这个人。

李寻欢抬起头，接触到她的温柔的眼光。

他的心居然跳了跳。

孙小红嫣然笑道：“现在我们可以开始拼酒了么？”

李寻欢道：“好。”

孙小红眼波流动，道：“那么，你说我们该如何拼法？”

李寻欢道：“拼酒难道还有许多种方法？”

孙小红道：“当然了，你不知道？”

李寻欢笑道：“我只知道一种方法，那就是大家都把酒喝到肚子里去，谁喝的酒先在肚子里造反，谁就输了。”

孙小红“扑哧”一笑，又忍住，摇着头道：“如此看来，你喝酒的学问还是不够。”

李寻欢道：“哦？”

孙小红道：“拼酒有文拼，有武拼。”

李寻欢道：“文拼是如何拼法？武拼又是如何拼法？”

孙小红道："你刚刚说的法子，就是武拼，那简直就是牛饮。"

李寻欢道："牛饮？"

孙小红道："大家直着脖子，把酒拼命往嘴里倒，不是牛饮是什么？"

李寻欢笑道："不把酒往嘴里倒，难道往耳朵里倒？"

孙小红笑也不笑，板着脸道："你要真能用耳朵喝酒，我倒真比不过你，只好算你赢了。"

李寻欢笑道："用耳朵喝酒太慢，我可没那么斯文。"

孙小红道："我一个女孩子，怎么能跟你武拼，但文拼也有许多种，你可以随便选一种。"

李寻欢道："有哪几种？"

孙小红道："有猜拳行令，击鼓传花，但这些法子都太俗气，像我们这种人拼酒，自然不能用这么俗气的法子。"

李寻欢道："如此说来，还剩下几种法子来让我选呢？"

孙小红道："只剩下一种法子。"

李寻欢忍不住笑了。

孙小红自己也忍不住笑了，嫣然道："虽然只剩下一种法子，但这种法子不但最新奇，也最有趣，就算有一万种法子，你也一定会选这种的。"

李寻欢笑道："酒已在桌上，我只想快点喝下去，用什么法子都无妨。"

孙小红道："好，你听着，这法子其实也简单得很。"

李寻欢只好听着。

孙小红道："我问你一句话，你若能回答，就算你赢了，我就得喝一大杯。"

李寻欢道："我若答不出，就算输了么？"

孙小红道："你就算回答不出，也不算输，直到我将自己问的这问题回答出来，你才算输。"

她嫣然一笑，接着道："你说这法子公平不公平？好不好？"

李寻欢沉吟着，道："我若输了，就轮到我来问你了，是吗？"

孙小红摇头道："不对，赢的人可以一直问下去，直到输为止。"

李寻欢笑道："你若一直问我些你的私人琐事，我岂非要一直输到底。"

孙小红也笑了，道："我当然不能问你那些话，我若问你，我母亲是谁？我兄弟有几人？我有几岁？……你当然不知道。"

李寻欢道："那么，你准备问些什么呢？"

孙小红道："只要拼酒一开始，你就可以听到我要问些什么。"

李寻欢拿起杯酒，笑道："我已在准备输了。"

孙小红笑道："好，你听着，我现在就开始问你第一句话。"

她忽然敛去了笑容，目光凝视着李寻欢，一字字道："你知不知道那封信是谁写的？"

这句话实在问得很惊人！

李寻欢的眼睛立刻亮了，失声道："我不知道……你难道知道？"

孙小红淡淡一笑，道："我若不知道，就不会问你了，写那封信的人就是……"

她故意停住语声，停了很久，才缓缓接着道："就是林仙儿！"

这问题的回答更惊人！

李寻欢虽然一向很沉得住气，此刻也不禁悚然动容，道："你怎么知道是她？"

孙小红悠然道："现在还未轮到你问我，先喝了这杯酒再说吧！"

李寻欢立刻将杯中酒一饮而尽。

孙小红道："你可知道阿飞现在的情况？"

李寻欢道："不知道。"

孙小红道："他虽然还是和林仙儿在一起，但林仙儿做的事，他却完全被蒙在鼓里。"

李寻欢急着问道："他……他现在何处？"

孙小红摇着，叹着气道："你怎么如此性急，等你赢了时再问也不迟呀。"

李寻欢只好将第二杯酒也喝了下去，这杯子比碗还大，他喝得比平时更快，因为他急着要听第三个问题。

孙小红道："你可知道林仙儿为何要写那封信？"

李寻欢道："不知道。"

他虽已隐约地猜出了林仙儿的目的，却还是无法确定。

孙小红道："因为她知道只要有人想对龙夫人林诗音不利，你就一定会挺身而出的，她要诱你现身，再找人找你！因为她一直将你当作最大的对头，最怕的是你，最恨的也是你，你若不死，她就不敢出头。"

李寻欢长长叹了口气，喝下第三杯酒。

孙小红道："你可知道第一个要杀你的人是谁？"

李寻欢苦笑道："要杀我的人太多了，又岂止一个。"

孙小红道："但能杀得了你的人却也许只有两三个，第一个就是上官金虹！"

这回答并未出李寻欢意料，他喝下第四杯，却又忍不住问道："他现在来了么？"

第三十四章

惊人的消息

孙小红摇着头笑道："你看你，老毛病又犯了，还未轮到你问的时候，你偏偏要问。"

她接着又道："上官金虹这人的脾气，你当然知道，普通的宝藏，自然不能令他动心，这次他怎么会动了心呢？"

李寻欢道："不知道。"

孙小红道："因为他听说昔年天下第一位名侠沈浪是令尊的好朋友。"

李寻欢道："沈大侠的确是先父的道义之交，但他多年前便已买棹东渡，退隐于海外之仙山，却和这件事有何关系？"

孙小红笑道："我就让你先问一问吧，不然我看你真要憋死了，但你却得先喝三大杯，我才回答你这个问题。"

她仿佛存心想将李寻欢灌醉似的，只不过她的问题实在太惊人，回答更惊人，李寻欢明知要喝醉，也只得喝下去。

孙小红这才接着道："因为他听说沈大侠归隐之前，曾托令尊保管两本书，这两本书就是他毕生所练的武功心法，你只练了其中的一本，小李飞刀就已无敌于天下，若是两本都练成，那还得了，所以连上官金虹那样的人也无法不动心了。"

李寻欢怔了半晌，苦笑道："若真有这回事，怎会连我自己都不知道？"

孙小红道："我也知道这全是林仙儿造出来的谣言，沈大侠绝世惊才，最了解人心之弱点，又怎会留下什么武功秘籍来让后人争夺。"

她笑了笑，缓缓接着道："就算他有武功秘籍要留下，也不会留在你家，他和令尊既然是道义之交，又怎会在你家留下个祸胎？"

李寻欢叹了口气，道："正是如此。"

孙小红眨着眼，道："我知道你心里一定有很多问题想问我，我若不让你赢一次，你不急死才怪，所以我现在要问你的，你一定能回答得出。"

她眼睛瞅着李寻欢，慢慢地问道："你现在心里头是不是还只有她一个人？甚至不惜为她而死……我说的'她'是谁，你自然知道的。"

李寻欢又怔住了。

他从未想到孙小红会问出这么样一句话来。

无论谁问他这句话，他本绝不会回答的——这是他一生中最痛苦的秘密，也是他最秘密的痛苦。

若有人问他这句话，无异将一把刀刺入他心里。

他实在不懂孙小红为何要问出来。

但孙小红的目光却仍是那么温柔，看不出有丝毫恶意。

少女们大多好奇，她难道也只是为了好奇？

她自然绝不会是为了要伤害李寻欢的，否则她怎会向李寻欢说出那么多秘密？而且每件秘密说出后都只有对李寻欢有利。

但她究竟是谁呢？

她怎么知道那么多秘密？

她的祖父显然也是位风尘异人，"孙白发"看来只不过是他的化名，那么，他本来的名字是什么呢？

他出城去接的是谁？是不是上官金虹？

阿飞和林仙儿究竟藏在哪里？

这许多问题正是李寻欢不惜牺牲一切也得知道的。

李寻欢沉默了很久，终于长长叹息了一声，黯然道："只道无情却有情，情到浓时情转薄……是无情？是有情？又有谁分得清？又有谁……"

他语声愈来愈低，终于连听也听不清了。

孙小红也长长叹息了一声，幽幽道："多情自古空余恨，你这又是何苦……又是何苦……"

她声音更低，简直连她自己都听不清。

过了很久，她才忽然举杯一饮而尽，展颜笑道："这次我认输了，你问吧，你可以继续问下去，但我若能回答，还是算你输，你还是要喝一杯。”

李寻欢沉吟着，问道：“阿飞现在究竟在什么地方？”

孙小红笑了笑，道：“我早就知道你第一句要问的就是这句话了，除了‘她’之外，阿飞恐怕就是你最关心的人。”

李寻欢叹道：“无论谁交到他那种朋友，都无法不关心他的。”

孙小红悠悠笑道：“若有人能交到你这种朋友，岂非也一样无法不关心你。”

她笑得似乎有些奇怪，忽然自怀中取出个纸卷，道：“这就是阿飞住的地方，你按图寻访，就能找到他。”

李寻欢紧紧握住了这纸卷，道：“多谢。”

这是他同一天内第二次说“谢”字。

孙小红盯着他，道：“我对你说出了你最切身的秘密，你不谢我，我告诉你是谁要杀你，你也不谢我，现在你为何要谢我？”

李寻欢沉默着。

孙小红道：“你纵然不说，我也知道，因为你有了这张图，就可以找到阿飞，你只有找到他，才可能救他，劝他莫要对一个不值得的女人太迷恋，劝他莫要毁了自己，你是为了他才谢我的。”

她笑得仿佛很凄凉，幽幽道：“这正如你为了林诗音而谢郭嵩阳一样……你难道永远也不会为了自己说个‘谢’字么？”

李寻欢还是沉默着。

孙小红凝视着他，目光更温柔，轻轻叹息着道：“我爷爷常说，一个人若是总不为自己着想，活着也未免太可怜了。”

李寻欢忽然笑了笑，淡淡道：“一个人若总是为自己着想，活着岂非更可怜？”

孙小红也沉默了起来。

她仔细咀嚼着李寻欢这两句话中的滋味，过了很久，嘴角才渐渐露出一丝温柔的微笑。

一个人若总是为自己着想，活着也实在无趣得很。

李寻欢又喝了杯酒，道：“孙老爷子出城去接人，却不知接的是谁？”

孙小红目光闪动，道："其实他并不是去接人，而是去送人的。"

李寻欢道："送人？送谁？"

孙小红一字字道："上官金虹！"

这回答又使李寻欢怔住了。

他忍不住追问道："上官金虹根本还未入城，怎会就要走了？"

孙小红眨着眼，笑道："我爷爷既然是专程去送他的，他怎么好意思不走？"

李寻欢道："莫非孙老爷子……"

他又弯下腰去咳嗽起来。

一弯下腰，他就忽然觉得一阵酒意上涌，头竟有些晕了。

孙驼子一直远远地站着，此刻忍不住走过来，皱着眉道："你今天喝得太多，也太快，有什么话，还是留到明天再问吧。"

李寻欢摇了摇头，笑道："你可知道上官金虹这个人么？"

孙驼子道："我不知道，我也不喝酒。"

李寻欢大笑道："你又没有跟我们拼酒，这杯酒你自然用不着喝的。"

孙驼子看着他，眼睛都发了直，好像从来未见过这个人似的，因为他从未看到这人如此大笑过。

他也想不到这人居然也会如此大笑。

李寻欢已接着道："但我却可以告诉你，上官金虹自命是天下第一高手，一向眼高于顶，目空一切，从来也不肯买任何人的账，这次却买了孙老先生的帐，那么你猜，这孙老先生会是什么样的人呢？"

孙驼子道："我猜不出。"

李寻欢道："我也猜不出，所以我一定要问，非问明白不可。"

孙驼子道："你问得太多，所以你一定要醉了，非醉不可。"

李寻欢笑道："醉了又有什么不好？人生难得几回醉……"

他又举起了酒杯，道："孙姑娘，我问你，孙老爷子究竟是谁？"

孙小红笑道："孙老爷子就是我父亲的父亲，我自己的爷爷。"

李寻欢大笑道："不错不错，这回答简直正确极了……"

他又将杯中酒一饮而尽。

喝完了这杯酒，他目光已蒙眬，喃喃道："我还有句话要问你。"

孙小红的眼睛却亮得很，微笑着道："趁你还未醉的时候，赶快问吧！"

李寻欢道："我问你，你为何一心想要灌醉我？为什么？"

孙小红替他将酒杯倒满，才含笑道："因为我本来就是要跟你拼酒的，自然要将你灌倒。每个喝酒的人都希望别人比自己先醉倒，你说对不对？"

李寻欢道："对，对，对，对极了……"

喝完了这杯酒，他终于伏倒在桌上。

这次他真的醉了。

孙小红和孙驼子两个人都没有话说，只是静静地看着李寻欢，仿佛还要看他是真醉，还是假醉。

天已经黑了。

孙驼子掌起了灯，喃喃道："吃晚饭的时候到了，只怕又有客人要上门……"

他嘴里说着话，忽然走过去，将两扇门板上了起来，又加起了木栓，好像不准备做生意了，也不准备让孙小红出去。

孙小红居然也没有说话。

门板很重，孙驼子上门时本来一向很吃力，但今天他力气好像忽然变大了十倍，搬起门板来就好像在搬一根稻草似的，一点也不费力。

孙小红忽然又笑了，道："别人都说二叔你是天生神力，偏偏只有我到今天才见到……"

孙驼子转过头，皱着眉道："谁是你的二叔？姑娘你莫非也醉了。"

孙小红吃吃笑道："二叔装得真像，但现在又何必还要装呢？"

孙驼子瞪了她一眼，目中突然有寒光暴射而出。

这双眼睛哪里还是孙驼子的眼睛？

李寻欢若是看到这双眼睛，心里也一定会佩服得很，因为他们朝夕相处了将近两年，李寻欢竟也未看出这驼子的真面目。

只可惜李寻欢现在什么也瞧不见了。

孙小红道："我知道他今天是真的醉了，绝不是装醉。"

孙驼子沉声道："但你可知道他的酒量？他怎会醉得这么快？"

孙小红道：“二叔你这就不懂了，一个人喝酒时的心情若不好，体力又差，就算他酒量再好，也很容易被人灌醉的。”

孙驼子道：“你为何要灌醉他？”

孙小红道：“二叔你也不知道？这是爷爷的吩咐呀。”

孙驼子道：“哦？”

孙小红道：“他现在行踪已露，要找他麻烦的人也不知有多少，这两天就要接二连三地来了，所以爷爷就想将他带到别的地方去避一避风头。”

她叹了口气，接着道：“但二叔你也该知道他的脾气，若不灌醉他，怎么能把他带得走？”

孙驼子“哼”了一声，道：“老实说，你爷爷做的事，我实在有点不懂。”

孙小红道：“不懂？什么地方不懂？”

孙驼子道：“李寻欢志气消沉，不愿见人的时候，他老人家总是想激他出手，现在李寻欢总算出手了，他老人家反而又要他去躲起来避风头。”

孙小红摇了摇头，道：“二叔你这就错了，志气消沉和避风头完全是两回事，怎么可以一概而论？”

她瞧了伏在桌上的李寻欢一眼，苦笑着接道：“你可知道想要这颗头颅的人有多少么？”

孙驼子冷笑道：“无论有多少人，除了上官金虹外，别的人又何足惧呢？”

孙小红叹道：“二叔你又错了，敢在李寻欢脑袋上打主意的人，自然就绝不会是容易打发的。”

孙驼子道：“那些人都是些什么样的角色？你说给我听听。”

孙小红道：“男的不说，先说女的，其中就有苗疆‘大欢喜女菩萨’和关外‘蓝蝎子’……”

她只说了两个人的名字，孙驼子已皱起了眉头。

孙小红道：“百晓生重男轻女，兵器谱上不列女子高手，但这两个母夜叉的名字，二叔你总也该听过的。”

孙驼子沉着脸，点了点头。

孙小红道："蓝蝎子是青魔手的情人，大欢喜女菩萨是五毒童子的干娘，她们早已在打听李寻欢的行踪，若听说他在这里，一定会立刻赶来。"

她叹了口气，接着道："她们两人中只要有一个赶到，就够他受的了。"

孙驼子拿起块抹布，慢慢地抹着桌子。

他心情不好的时候，就喜欢抹桌子。

孙小红道："说完了女的，再说男的。"

她闭上眼睛，扳着手指头道："男的有上官金虹、吕凤先、荆无命，还有……还有个人二叔你一定猜不出是谁。"

孙驼子还是在慢慢地抹着桌子，头也不抬，道："谁？"

孙小红道："胡不归。"

孙驼子霍然抬起头，惊问道："胡不归？是不是那胡疯子？"

孙小红道："不错，这人一向疯疯癫癫，用的是柄竹剑，据说他的剑法也跟他的人一样，疯疯癫癫的，有时精奇绝俗，妙到毫巅，有时却又糟得一塌糊涂，简直连看都看不得，所以百晓生作兵器谱时，才没有将他的名字列上。"

孙驼子脸色更沉重，徐徐道："高是真的，糟是假的……"

他沉默了很久，才接着道："只不过此人一向不跟别人打交道，这次为何要找李寻欢的麻烦？"

孙小红道："听说他是被龙啸云请出来的，龙啸云的师父以前好像帮过他的忙。"

孙驼子皱着眉道："这人一向难找，谁也不知道他在哪里，龙啸云能找到他，本事倒真不小。"

孙小红道："就因为此人难找，所以龙啸云才会一去两年。"

孙驼子道："你刚刚说的那吕凤先，就是兵器谱上名列第五的温侯银戟？"

孙小红道："不错，他找的倒并不单只是李寻欢。"

孙驼子道："他还想找谁？"

孙小红道："此人近年来练了几手很特别的功夫，所以凡是兵器谱上列名在他之前的人，他都想找来斗一斗。"

孙驼子道："那荆……荆……"

孙小红道："荆无命？"

孙驼子道："嗯，这荆无命，又是何许人也？"

孙小红道："荆无命就是上官金虹属下第一号打手！"

孙驼子皱着眉道："我怎会从未听说过他的名字？"

孙小红道："此人出道才不过两年多，听爷爷说，武林后起一代的高手中，最厉害的两个人就是这荆无命和阿飞！"

孙驼子道："哦？"

孙小红道："他用的也是剑，出手也和阿飞一样，又狠，又准，又快。除此之外，这人还有一样最可怕的地方。"

孙驼子在听着，听得很留神。

孙小红道："他平时很少出手，但只要一和人交上手，就连自己的性命都不要了，每一招用的都是要命的招式，他自称荆无命，意思就是说他这条命早已和人拼掉了，所以根本就不把自己的死活放在心上。"

这一次，孙驼子沉默得更久，才慢慢地问道："你爷爷呢？"

孙小红道："他老人家和我约好在城外见面……"

她抿嘴笑了笑，又道："他老人家知道我一定有法子将李寻欢带去的。"

孙驼子沉重的面容上也不禁露出了一丝微笑，摇着头道："你这小丫头倒真是个鬼灵精。"

孙小红嘟起嘴，不依道："人家已经快二十了，二叔还说人家是小丫头。"

第三十五章

吃人的蝎子

孙驼子突又长长叹了口气，喃喃道："不错，你的确已不小了，上次我看到你的时候，你还只有五六岁，但现在你已经是大人了……"

他垂头望着手里的抹布，又开始慢慢地抹着桌子。

孙小红也低下了头，道："二叔已有十三四年没有回过家了么？"

孙驼子沉重地点了点头，喃喃道："不错，十四年，还差几天就是十四年。"

孙小红道："二叔为什么不回家去瞧瞧？"

孙驼子忽然重重一拍桌子，厉声道："我既已答应在这里替人家守护十五年，就得在这里十五年，连一天都不能少，我们这种人说出来的话，就得像钉子钉在墙上一样牢靠，这道理你明不明白？"

孙小红垂首道："我明白。"

过了很久，孙驼子的目光才又回到手里的抹布上。

当他开始抹桌子的时候，他锐利的目光就黯淡了下来，那种咄咄逼人的凌厉光彩，立刻就消失了。

一个人若已抹了十四年桌子，无论他以前是什么人，都会变成这样子的，因为当他在抹着桌上油垢的时候，也就是在抹着自己的光彩。

粗糙的桌子被抹光，凌厉的锋芒也被磨平了。

孙驼子徐徐道："这些年来，家里的人都还好吗？"

孙小红这才展颜一笑，道："都很好，大嫂和三嫂今年都添了宝宝，最妙的是，四婶居然也生了对双胞胎，所以今年四叔和大哥、三哥，都一定会赶回去过年……今年过年一定会比往年更热闹多了……"

她眼角瞥见孙驼子黯淡的面色，立刻停住了嘴，垂首道："大家都在盼望着二叔能快些回去，不知道……"

孙驼子勉强一笑，道："你回去告诉他们，等明年过年的时候，我也可以回去了。"

孙小红拍手道："那好极了，我还记得二叔做的烟花最好……"

孙驼子笑道："明年我一定替你做，但现在……现在你还是快走吧，免得你爷爷等得着急。"

他瞧了李寻欢一眼，又皱眉道："但这么大一个人，你怎么能带得走呢？"

孙小红笑道："我就当他是条醉猫，往身上一背就行了。"

她刚站起来，突然一人冷冷道："你可以走，但这条醉猫却得留下来！"

这声音急促、低沉，而且还有些嘶哑，但却带着种说不出的魅力，仿佛可以唤起男人的情欲。

这无疑是个女人的声音。

孙驼子和孙小红都面对着前门，这声音却是自通向后院的小门旁发出来的，她什么时候进了这屋子，孙小红和孙驼子竟不知道。

孙驼子脸色一沉，反手将抹布甩了出去。

他抹了十四年桌子，每天若是抹二十次，一年就是七千三百次，十四年就是十万零两千两百次。

抹桌子的时候，手自然要紧紧捏着抹布，无论谁抹了十万多次桌子，手劲总要比平常人大些。

何况孙驼子的大鹰爪力本已驰名江湖，此刻将这块抹布甩出去，挟带着劲风，力道绝不在天下任何一种暗器之下。

只听"砰"的一声，尘土飞扬，砖墙竟被这块抹布打出了个大洞，但站在门旁的人还是好好地站在那里。

她身子好像并没有移动过，看她现在站的地方，这块抹布本该将她的胸口打出个大洞来才是。

但也不知怎的，这块抹布偏偏没有打着她。

抹布飞来的时候，她身子不知道怎么样一扭，就闪开了。

这也许是因为她的腰很细，所以扭起来特别方便。

腰细的女人，看起来总特别苗条，特别动人。

这女人动人的地方并不止她的细腰。

她的腿很长，很直，胸脯丰满而高耸，该瘦的地方她绝不胖，该胖的地方，她也绝不瘦。

她的眼睛长而媚，嘴却很大，嘴唇也很厚。

她的皮肤虽白，但却很粗糙，而且毛发很浓。

这并不能算是个美丽的女人，但却有可以诱人犯罪的媚劲，大多数男人见到她，心里立刻就会想起一件事。

她自己也很明白那是件什么事。

她很少令男人失望。

她穿的是套蓝色的衣服，衣服很紧，紧紧地裹着她的身子，使她的曲线看来更为突出。

孙驼子回过头，盯着她。

她也在盯着孙驼子，那眼色看来就好像她已将孙驼子当作世上最英俊、最可爱的男人，已将孙驼子当作她的情人似的。

但等她的目光转到孙小红时，就立刻变得冷酷起来。

她对任何男人多多少少都有些兴趣。

她对任何女人都讨厌得很。

孙驼子干咳了两声，道："蓝蝎子？"

蓝蝎子笑了。

她笑起来的时候，眼睛眯得更细、更长，就像是一条线。

一条可以勾住男人心的线。

她媚笑着道："你真是好眼力，有眼光的男人，我总是喜欢的。"

孙驼子板着脸，没有说话。

他不喜欢对付女人，他也根本不会对付女人。

蓝蝎子道："但我的眼光也不错，我也知道你们是谁了。"

孙驼子厉声道："你既然知道，居然还敢来？"

蓝蝎子轻轻叹了口气，道："我本也不愿得罪你们，但这醉猫我却非带走不可。"

她又叹了口气，柔声道："你也许不知道，我要找个能令我满意的男人有多么困难，好容易才找到一个，却被这醉猫杀死了。"

孙小红忍不住道："伊哭可不是他杀死的。"

蓝蝎子道："无论是不是他杀死的，这笔账我却已算到他身上。"

孙小红道："无论你怎么算账，都休想能带得走他！"

蓝蝎子叹着气道："我也知道你们不会这么容易让我带他走的，我又不太愿意跟你们动手，这怎么办呢？"

她忽然向后面招了招手，轻唤道："你过来。"

孙驼子这才看到后院中还有条人影。

这人身材很高大，蓝蝎子一招手，他就大步走了过来。

只见他衣衫华丽，漆亮的胡子修饰得很整齐，腰带上挂着柄九环刀，看来当真是相貌堂堂，威风凛凛。

蓝蝎子道："你们可认得他是谁么？"

孙驼子刚摇了摇头，孙小红已抢着道："我认得他。"

蓝蝎子道："你真的认得？"

孙小红道："他姓楚，叫楚相羽，外号叫'活霸王'，是京城'洪运镖局'的总镖头。"

蓝蝎子媚笑着瞟了这位"活霸王"一眼，道："连这位小妹妹都认得你，看来你的名头可真不小。"

活霸王面上不禁露出得意之色，腰挺得更直。

孙小红道："江湖中有名气的人，大大小小我倒差不多全认识，但我却不知道这位总镖头怎么会和你走在一起的？"

蓝蝎子笑道："他是在路上吊上我的。"

她摸了摸活霸王的胡子，媚笑道："我就是看上他这把胡子，才乖乖地跟着他走。"

孙小红也笑了，道："是他吊上了你，还是你吊上了他？"

蓝蝎子笑道："当然是他吊上我……你们只知道楚大镖头的名气响，武功高，却不知道他吊女人的本事更是高人一等。"

孙驼子早已满面怒容，忍不住喝道："你带这人来干什么？"

蓝蝎子道："一个人能当得了总镖头，武功自然是不错的，是吗？"

孙驼子道："哼。"

蓝蝎子道："这位楚大镖头掌中一柄九环刀，的确得过真传，'九九八十一手万胜连环刀'使出来，等闲七八十个人也休想近得了他的身。"

孙驼子道："哼。"

蓝蝎子道："我若说我一招就能要他的命，你们信不信？"

楚相羽一直得意扬扬地站在那里，顾盼自赏，此刻就好像忽然被人踩了一脚，失声道："你说什么？"

蓝蝎子柔声道："我也没说什么，只不过说想要你的命而已。"

楚相羽脸色发青，怔了半晌，忽又笑了，道："你在说笑话。"

蓝蝎子叹了口气，道："常言道，一夜夫妻百日恩。你自然以为我不会杀你的，是吗？"

楚相羽道："我知道你在开玩笑。"

蓝蝎子道："但你可知道世上有种毒虫叫蝎子么？"

楚相羽道："我怎么会不知道，蝎子在我们北方最多了。"

蓝蝎子道："那么，你知不知道母蝎子却有种奇怪的毛病。"

楚相羽道："什么毛病？"

蓝蝎子道："我告诉你，母蝎子和公蝎子交配之后，一定要将公蝎子吃掉才过瘾。"

楚相羽面色虽已有些变了，还是勉强笑道："但你却不是蝎子。"

蓝蝎子媚笑道："谁说我不是蝎子？我明明是蓝蝎子呀，你不知道？"

楚相羽的人立刻跳了起来，往后面跳开七八尺，"砰"的一声，桌子也被他撞翻了，他下盘倒很稳，并没有翻倒。

只听"哗啦啦"一响，他已拔出了腰畔的九环刀，横刀当胸，刀锋在外，眼睛瞪着蓝蝎子，就好像见到了鬼一样。

他也是老江湖了，自然听过"蓝蝎子"的大名，但他却再也想不到这比小鱼还容易上钩的女人，就是蓝蝎子。

蓝蝎子柔声道："我劝你，下次你若想在路上吊女人，最好先弄清楚她的底细，只可惜……"

她叹了口气，慢慢地走向楚相羽，接着道："只可惜你已永远没有下次了！"

楚相羽大吼道："站住，你再往前走一步，我就宰了你！"

蓝蝎子媚眼如丝，腻声道："好，你宰了我吧，我倒真想死在你手里。"

楚相羽大喝一声，九环刀横扫而出。

刀风虎虎，刀环相击，声势果然惊人。

但他只使出了这一刀。

只见一道蓝晶晶，碧森森的寒光一闪，楚相羽已惨呼着倒了下去，甚至连这声惨呼都没有完全发出来。

他身上也并没有什么伤痕，只是咽喉上多了两点鲜红的血迹，正宛如被蝎子螫过了一样。

蓝蝎子的衣服虽紧，袖子却很长，这使她看来有些飘飘欲仙的感觉，使她的风姿看来更美。

此刻她双手都藏在袖子里，谁也看不出她是用什么杀死楚相羽的——无论她用的是什么，一定都可怕得很。

孙驼子和孙小红冷眼旁观，并没有出手拦阻，也许是因为他们根本不愿出手——一个随便就在路上吊女人的男人，总不会是什么好东西。

蓝蝎子还在俯首瞧着楚相羽。

她瞧了很久，仿佛是在欣赏着自己的成绩。

然后，她又笑了，笑得更媚。

她媚笑着道："我只用了一招，你们现在总该相信了吧。"

孙驼子和孙小红都没有说话。

蓝蝎子道："我的武功还算不错吧！"还是没有人回答。蓝蝎子道："伊哭的青魔手虽然在兵器谱中名列第九，但百晓生若是将我也算上，他至少要退到第十，两位说对不对？"

这倒不是假话。她出手的确比伊哭更快，更毒！

蓝蝎子眼睛瞟着孙驼子，柔声道："凭我这样的武功，总可以将这醉猫带走了吧。"

孙驼子板着脸，冷冷道："不可以！"

蓝蝎子叹了口气道："我究竟要怎么样才能将他带走呢？难道要我陪你上床？"

孙驼子怒喝一声，双手齐出。

只见他左手握拳，右手如爪，左拳击出，石破天惊，右爪如钩，变化万千，虽是赤手空拳，但威势却比楚相羽方才那一刀更强十倍。

蓝蝎子腰肢一扭，忽然就瞧不见了。

她的腰就像是水中的蛇一样，可以随意扭动，你明明看到她是往左边扭的，她忽然已到了你右边。

孙驼子一招击出，她已到了孙驼子身后。

幸好孙驼子也非庸手，左拳突曲，将这一拳击出去的力量松开，右爪却突然紧握成拳，将这一爪抓出去的力量硬生生收了回来。

两人交手，最难的就是将已击出的招式“悬崖勒马”半途收回，要知一招击出，便如箭已离弦，若是半途撤招，总难免有些生硬勉强。

但孙驼子此刻这一招收发之间，却绝不拖泥带水。

别人若是将手上力量撤回，身子也难免要随着后退，那正是自投罗网，送到蓝蝎子手里。

但孙驼子幸好是个“驼子”，他手上力量一撤，就全都聚集在他背后的“驼峰”之上。

他的肩一缩，驼峰已向蓝蝎子撞了过去。

这一着正也是孙驼子的成名绝技之一，他背后驼峰已练得坚逾精钢，这一撞之力，何止百斤。

蓝蝎子自然是识货的，腰肢一扭，长袖飞舞，人已到了孙驼子面前，面上带着媚笑，眼睛里也带着媚笑。

她媚笑着道：“你不但眼光高，武功也高，只要你说一声，什么地方我都跟你去。”

孙驼子厉声道：“你去死吧！”

蓝蝎子媚眼如丝，轻轻道：“我要死，也得死在床上。”

面对着这么样的一个女人，看着她的媚笑，听着她的腻语，就算不意乱情迷，想入非非，也难免要有些心猿意马，手下也就难免要留三分情。

但你留情，她却不留情。

所以十年来，已不知有多少男人死在她手下。

只可惜她今天遇见的是孙驼子。

孙驼子看到女人，就好像掉了牙的老太婆看到五香蚕豆一样，一点兴趣也没有，怒叱一声，铁爪又已击出。

蓝蝎子长袖一卷，后退了几步，道：“等一等。”

孙驼子再次撤招道：“还等什么？”

蓝蝎子叹了口气，柔声道："你就算一定要逼我出手，先看看我用的兵刃也不迟呀。"

她的话还未说完，袖中已有一道蓝晶晶，碧森森的寒光飞出，如闪电般斜划孙驼子面目。

孙驼子大喝一声，铁爪迎向蓝光，抓了过去！

他与人交手，素来喜欢速战速决，所以他虽然知道蓝蝎子用的必是件极奇特的外门兵器，但仗着自己苦练四十年的大鹰爪力，想在一招间便夺下她的兵刃，令她根本没有还手的余地。

这一抓更是威不可当！

对方用的兵刃纵然锐利，纵然能割破他的手，但兵刃还是要被他夺下，孙驼子对自己这出手一抓，素来自信得很。

只不过，他的自信也许太强了些。

孙小红一直静静地站在那里，好像全没有出手的意思。

但她的眼睛却始终未曾离开过蓝蝎子的衣袖。

她的眼睛快得很。

那道青蓝色的寒光一飞出，她已看清楚了。

她从未看过如此奇异的兵刃。

那看来就像是一只放大了十几倍的蝎子毒尾，长长的，弯弯的，似软实硬，又可以随意曲折。

最可怕的是，这兵刃由头到尾，都带着钩子般的倒刺。

孙小红自然也对她二叔的大鹰爪力很有信心，但她也知道只要他的手一抓着蓝蝎子的兵刃，也难免要被这只专吃男人的毒蝎子吃下去！

蓝蝎子的出手固然快，孙驼子的出手也快。

孙小红知道自己无论如何也拦阻不及了，她想不到她二叔抹了十四年的桌子后，脾气还如此暴烈！

她却不知道孙驼子正因为已忍了十四年，脾气早已憋不住了，所以此刻一有机会出手，就不顾一切，想一击得手。

她情急之下，忍不住惊呼出声来。

就在这时，半空中忽然伸出了一只手。

这只手的动作竟比她的声音还快，她惊呼之声刚发出，这只手已半途抓住了蓝蝎子的手腕。

只听“咔嚓”一声，“当”的一响，蓝光落地。

蓝光落地时，蓝蝎子的人已退出一丈外，她退得太仓猝，也太快，竟“砰”地撞在墙上。

然后所有的一切声音，所有的一切动作就全都停顿了下来，屋子里突然变得死一般静寂，连空气都仿佛已凝结。

每个人都石像般怔住了。

每个人的眼睛都吃惊地望着这只手，蓝蝎子眼睛里不但充满了惊讶，也充满了恐惧痛苦。

她的手腕已被折断了！

这只令人吃惊、令人恐惧的手终于缩了回去。

它伸出时虽快，缩回时却很慢。

然后，一个人缓缓站了起来，却正是那已烂醉如泥的李寻欢。

孙小红又惊又喜，失声道：“原来你没有醉。”

李寻欢淡淡地笑了笑，道：“我的心情虽然不好，体力虽然不支，酒量却一向不错。”

孙小红瞪着他，一双动人的大眼睛里，充满了各式各样的感情，也不知是惊奇，是欢喜，是佩服，还是失望。

她毕竟还是没有灌醉李寻欢。

蓝蝎子眼睛里的媚态却早已不见了，剩下的只有惊慌和恐惧。

因为李寻欢的手里不知何时已多了一把刀。

小李飞刀。

小李飞刀纵未出手，也足以令人丧胆——小李飞刀最可怕的时候，也就是它还未出手的时候。

因为它出手之后，对方就已不知道什么叫可怕了。

死人是不知道害怕的！

屋子里只剩下呼吸的声音。

这沉重的呼吸却比完全静寂还令人觉得静寂，简直静寂得令人窒息，令人受不了，令人要发疯。

第三十六章

奇异的感情

蓝蝎子额上的冷汗不停地流下来，一粒比一粒大……

她全身都在颤抖着，忽然大叫了起来，道："你飞刀为何还不出手？你为何还不杀了我？"

李寻欢缓缓道："你肯不顾一切来为伊哭复仇，总算对他还有真情，他死了，你自然很痛苦……很痛苦……"

他凝视着手里的刀锋，目中似乎带着一丝痛苦之色，黯然道："我很了解这种痛苦，很了解……我只希望你明白，这种痛苦绝不是杀人就能减轻的，你无论杀多少人，也不能将这种痛苦减轻半分。"

寒光一闪，小李飞刀突然出手。

只听"夺"的一声，雪亮的刀已钉在蓝蝎子身旁的门楣上。

李寻欢挥手道："你走吧。"

蓝蝎子呆住了。

也不知过了多久，她忽然问道："那么，这种痛苦要怎样才能减轻呢？"

李寻欢叹了口气，喃喃道："我也不知道……也许你想到另一个人能代替他时，这种痛苦就能减轻了，我只希望你能找得到。"

蓝蝎子呆呆望着他，目中突然流下了眼泪……

孙小红也在痴痴地望着李寻欢。

她从未见过这样的男人，几乎不相信世上真有这样的男人，她盯着他，仿佛想看透他的心。

蓝蝎子已走了，是带着眼泪走的。

李寻欢已沉默了很久，忽然笑了笑，道："你一定很奇怪，我为何没杀她。”

孙小红没有说话。

孙驼子一直垂首望着地上那件奇异的兵刃，也没有说话。

李寻欢缓缓接道：“这是因为我一向总认为一个人若还有泪可流，就不该死。”

孙小红忽也笑了笑道：“我知道你不喜欢杀人，你不杀她，我一点也不奇怪，我只奇怪你明明没有醉，为何要装醉呢？”

李寻欢微笑道：“你也是喝酒的人，总该知道装醉比真醉有趣多了，若是真的烂醉如泥，非但当时无趣，第二天头疼起来更要人的命。”

孙小红嫣然道：“有道理。”

李寻欢道：“但只要是喝酒的人，就没有永远不醉的，你若真想灌醉我，以后的机会还多得很。”

孙小红轻轻叹了口气，眨着眼道：“可是我自己心里明白，这次我既已错过机会，以后只怕就再也休想灌得醉你了。”

李寻欢失笑道：“其实我……”

他的话还未说出，突见孙驼子大步走到柜台后，抓起一坛酒，一掌拍开泥封，仰起脖子就往嘴里倒。

他也不知灌了多少，孙小红才总算夺下了他手里的酒坛子，跺脚道：“人家宁可装佯也不愿被人灌醉，二叔你为何要自己灌醉自己呢？”

孙驼子倒在柜台后的椅子上，眼睛已发直，喃喃道：“一醉解千愁，我还是醉了的好……醉了的好……”

孙小红道：“为什么？”

孙驼子突又跳了起来，大声道：“你问我为什么，我告诉你，因为我不愿受人的恩惠，无论谁的恩惠我都受不了，我宁可被砍一刀。”

他的人又倒在椅上，以手蒙着脸，喃喃道：“李寻欢，李寻欢，你为何要救我？我被人救过一次，已够受的，你可知道我这些年来的日子是怎么过的吗？”

李寻欢想问他：“谁曾经救过你？”

“你为何要答应他在这里守护十五年？”

“你守护的究竟是什么？”

但孙驼子语声愈来愈低，也不知是醉了，还是睡着了。

李寻欢瞧了瞧孙小红，也想问问她，但一看到孙小红那双又灵活，又调皮的大眼睛，他就立刻打消了这主意。

像孙小红这种女孩子，你若想问她什么秘密，那是一定问不出的。

李寻欢只有长长叹了口气，道：“你二叔真不愧是大丈夫！”

孙小红用眼角瞟着他，抿嘴笑道：“你的意思是不是说，只有大丈夫才会真的醉得这么快！”

李寻欢缓缓道：“我的意思是说，只有大丈夫才肯一诺千金，至死不改，只有大丈夫才不愿受人的恩惠，只有大丈夫才肯为了别人，牺牲自己。”

孙小红眼波流动，道：“所以你也要为了保护别人而留在这里，是不是？”

李寻欢沉默着。

孙小红道：“无论为了什么原因，你都不肯走的，是不是？”

李寻欢还是沉默着。

孙小红道：“可是，你有没有想到阿飞呢？你不想去看看他？他难道不是你的朋友？”

李寻欢又沉默了很久，才缓缓道：“他至少应该能照顾自己。”

孙小红眼珠子一转，道：“我常听人说，林仙儿看来虽像是天上的仙子，但却专门带男人入地狱。”她一字字接着道，“你不怕你的朋友被她带入地狱？”

李寻欢的嘴又闭上了。

孙小红叹了口气道：“我也知道你绝对不肯走的，为了她，你别的事都可以放下，无论什么事都可以放下……”

她眼波忽然变得无限温柔，脉脉地望着李寻欢，幽幽道：“可是，你为什么不去找个人来代替她呢？”

李寻欢面上泛起了一阵痛苦之色，又弯下腰去不停地咳嗽起来。

孙小红垂首弄着衣角，缓缓道：“你不愿走，我也不能勉强你，可是你至少应该去看看我的爷爷。”

李寻欢勉强忍住咳嗽，道："他……他在哪里？"

孙小红道："他老人家在城外的长亭等我。"

李寻欢道："长亭？"

孙小红道："因为上官金虹一定会经过那里。"

李寻欢沉吟着道："上官金虹纵然经过那里，他也未必看得到。"

孙小红道："一定能看得到，因为上官金虹从不乘车，也不骑马，他一向喜欢走路的，他常说一个人生着两条腿，就是为了要走路。"

李寻欢淡淡一笑，道："你知道的倒真不少。"

孙小红嫣然道："的确不少。"

李寻欢道："你不但知道上官金虹要来，还知道他会从哪里来；你不但知道那封信是林仙儿写的，还知道她隐藏在哪里……"

他盯着孙小红的眼睛，慢慢地问道："这些事，你是怎么知道的？"

孙小红咬着嘴唇，娇笑道："我有我的法子，我偏不告诉你。"

夜深沉。

城外的夜色总比城内更浓，更深。

天地间一片静寂，晚风中偶然会传来一两声秋虫的低语。

孙小红的步子很轻快，就像是永远也不会疲倦似的，因为无论对什么事，她都有很大的兴趣。

她对生命充满了热爱。

她还年轻。

李寻欢走在她身旁，和她正是个极强烈的对比。

他很羡慕她，甚至有点淡淡的妒忌，等他发现自己这种妒忌的时候，他才忽然吃了一惊。

"我难道已真的老了？"

因为他知道唯有老人才会对年轻人的热爱生出妒忌。

他自嘲地笑了笑，喃喃道："若是在十年前，我一定不会和你走得这么近。"

孙小红道："为什么？"

李寻欢悠悠道："江湖中人人都知道我是个浪子，像你这样的女孩子和我走在一起，别人看到就难免要说闲话的。”

他笑了笑，接着道：“幸好我现在已老了，别人看到我们，一定会以为我是你的父亲。”

孙小红叫了起来，道：“我的父亲？你以为你真的有那么老了吗？”

李寻欢道：“当然。”

孙小红忽然吃吃地笑了起来。

李寻欢道：“你笑什么？”

孙小红抿嘴笑道：“我笑你！”

李寻欢道：“为什么？”

孙小红道：“因为我知道你一定很怕我。”

李寻欢道：“我怕你？”

孙小红的眼睛亮得就像是天上的星星。

她吃吃地笑着道：“就因为你怕我，才会对我说这种话，你怕你自己会对我……对我好，所以才硬说自己是老头子，是不是？”

李寻欢只有苦笑。

孙小红道：“其实呀，你若是老头子，我就是老太婆了。”

她忽然停下脚步，仰面望着李寻欢柔声道：“只有自己先觉得老了的人，才会真的变老，我爷爷就从来不肯服老，你还年轻得很，求求你以后莫要再说自己老了好吗？”

夜色很浓，看不清她面上的表情，只能看到她那双发亮的大眼睛。

她眼睛里充满了柔情，纯真的柔情。

唯有少女的情感才会如此纯真。

李寻欢看到这双眼睛，忽然想起十余年前的林诗音。

那时的林诗音岂非也如此纯真。

但现在呢？

李寻欢暗中叹了口气，避开她的目光，遥望前方，忽然笑道：“你看，前面已是长亭，我们快走吧，莫要让你爷爷等得着急。”

无星无月，也看不到灯光。

黑沉沉的夜色中，只能看到长亭中有一点火光，忽明忽灭，火光亮的时候，才能看出一个人的影子。

孙小红道：“你看到那点火光了么？”

李寻欢道：“看到了。”

孙小红眼波流动，笑道：“你猜那是什么？猜得出，我佩服你。”

李寻欢道：“那是你爷爷在抽旱烟。”

孙小红拍手笑道：“呀……你真是天才儿童，我真佩服你。”

李寻欢也忍不住笑了。

也不知为了什么，和这女孩子在一起，他笑的时候就好像多了些，咳嗽的时候却少了些。

孙小红道：“不知道上官金虹来过了没有？他老人家是否已将他送走？”

说着说着，她目光忽然露出一丝忧郁之色，道：“我们快赶过去吧，看看……”

她话未说完，李寻欢忽然扯住了她的手。

孙小红的心一跳，脸已有些发烫。

她偷偷瞟了李寻欢一眼，才发现李寻欢的神情仿佛很凝重，一双锐利的眼神，正出神地瞧着远方的道路。

远方的道路上，已出现了两点火光。

那是两盏灯笼。

高挑着的灯笼。

灯笼是金黄色的，用一根细竹竿高高挑起。

金黄色的灯光下，可以看出挑灯的人身上也穿着金黄色的衣服，甚至连他们的脸也已被灯光映得发黄。

黄得诡秘，黄得可怕。

李寻欢身形一闪，已将孙小红拉到道旁的树后。

孙小红压低了语声，道：“金钱帮？”

李寻欢点了点头。

孙小红皱了皱眉，道：“原来上官金虹现在才到，莫非他路上也遇着什么事了么？”

李寻欢淡淡道：“也许因为他只有两条腿，所以走不快。”

只见前面两盏灯笼，后面还有两盏灯笼，相隔约莫三丈。

前面的灯笼与后面的灯笼间，还有两个人。

这两人一前一后，走得虽慢，步子却很大。

两人的身材都很高，都穿着金黄色的衣衫，前面一人的衫角很长，几乎已覆盖到脚面，但走起路来长衫却纹风不动。

后面的一人衫角很短，只能掩及膝盖。

两人的头上都戴着宽大的笠帽，低压在眉际，所以灯笼的光虽很亮，却也辨不出他们的面目。

前面的一人赤手空拳，并没有带什么兵刃。

后面的一人腰带上却插着一柄剑。

出了鞘的剑。

李寻欢忽然发现这人插剑的法子和阿飞差不多，只不过阿飞是将剑插在腰带中央，剑柄向右。

这人却将剑插在腰带右边，剑柄向左。

他用的莫非是左手。

李寻欢的双眉也皱了起来。

他很不喜欢使左手剑的对手，因为左手使剑，剑法必定和别人相反，招式必定更辛辣诡秘，反难对付。

而且剑已出鞘，出手必快。

这是他多年的经验，他一眼就看出这是个很强的对手！

第三十七章

老 人

李寻欢注意那使左手剑的汉子，孙小红注意的却是另一件事。

这两人走得很慢，步子很大，看来和平常人走路并没有什么不同，但也不知为了什么，她总觉得这两人走起路来有些特别。

她注意很久，才发现是什么原因了。

平常两个人走路步伐必定是相同的。

但这两人走路却很特别，后面的一人每一步踏下，却恰巧在前面一人的第一步和第二步之间。

这四条腿看来就好像长在一个人身上似的。

前面一人踏下第一步，后面一人踏下第二步，前面一人踏下第三步，后面一人踏下第四步，从来也没有走错一步。

孙小红从来也没有看到过两个人像这样子走路的，她简直觉得新奇极了，也有趣极了。

但李寻欢却一点也不觉得有趣。

他非但不觉得有趣，反而觉得有些可怕。

这两人走路时的步伐已配合得如此巧妙，显见得两人心神间已有一种无法解释的奇异默契。

他们平常走路时，已在训练着这种奇异的配合，两人若是连手对敌，招式与招式间一定配合得更神奇。

单只上官金虹一人，已是武林中数一数二的绝顶高手，若再加上一个荆无命，那还得了？！

李寻欢的心在收缩着。

他想不出世上有任何法子能将这两人的配合攻破。

他也不相信长亭中这老人能将这两人送走。

黄昏以后，路上就已看不到别的行人。

长亭中的老人仍在吸着旱烟，火光忽明忽灭。

李寻欢忽然发现这点火光明灭之间，也有种奇异的节奏，忽而明的时候长，忽而灭的时候长。

忽然间，这点火光亮得好像一盏灯一样。

李寻欢从未看到一个人抽旱烟，能抽出这么亮的火光来。

上官金虹显然也发现了，因为就在这时，他已停下脚步。

他的脚步一停，后面的人脚步也立刻停下，两人心神间竟真的像是有种奇异的感应，可以互通声息。

就在这时，长亭的火光突然灭了。

老人的身形顿时被黑暗吞没。

上官金虹木立在道旁，良久良久，才缓缓转过身，缓缓走上了长亭，静静地站在老人对面。

无论他走到哪里，荆无命都跟在他身旁，寸步不离。

他看来就像是上官金虹的影子。

四盏高挑的灯笼也已移了过去，围在长亭四方。

亭子里骤然明亮了起来，这才可看出老人仍穿着那件已洗得发白的蓝布袍，正低着头坐在亭子里的石椅上装旱烟，似乎全未发觉有人来了。

上官金虹也没有说话，低着头，将面目全都藏在斗笠的阴影中，仿佛不愿让人看到他面上的表情。

但他的眼睛却一直在盯着老人的手，观察着老人的每一个动作，观察得非常非常仔细。

老人自烟袋中慢慢地取出一撮烟丝，慢慢地装入烟斗里，塞紧，然后又取出一柄火镰、一块火石。

他的动作很慢，但手却很稳定。

然后他又将火镰、火石放在桌上，取出张棉纸，搓成纸棒，再放下纸棒，拿起火镰、火石来敲火。

上官金虹忽然走了过去，拿起了石桌上的纸棒。

在灯火下可以看出这纸棒搓得很细、很紧，纸的纹理也分布得很匀，绝没有丝毫粗细不均之处。

上官金虹用两根手指拈起纸棒，很仔细地瞧了两眼，才将纸棒慢慢地凑近火镰和火石。

“叮”的一声，火星四溅。

纸棒已被燃着。

上官金虹慢慢地将燃着的纸棒凑近老人的烟斗……

李寻欢和孙小红站的地方虽然距离亭子很远，但他们站在暗处，老人和上官金虹每一个动作他们都看得很清楚。

李寻欢早已问道：“要不要过去？”

孙小红却摇摇头说：“用不着，我爷爷一定有法子将他们打发走的。”

她说得很肯定，但现在李寻欢却发觉她的手忽然变得冰冰冷冷，而且还像是已沁出了冷汗。

他自然知道她在为什么担心。

旱烟管只有两尺长，现在上官金虹的手距离老人已不及两尺，他随时都可以袭击老人面上的任何一处穴道。

他现在还没有出手，只不过在等待机会而已。

老人还在抽烟。

也不知是因为烟叶太潮湿，还是因为塞得太紧，烟斗许久都没有燃着，纸棒却已将燃尽了。

他抽烟的姿势很奇特，用左手的拇指、食指和中指托着烟斗，无名指和小指微微地翘起。

上官金虹是用拇指和食指拈着纸棒，其余的三根手指微微弯曲。

老人的无名指和小指距离他的腕脉还不到七寸。

两人的身子都没有动，头也没有抬起，只有那燃烧着的纸棒在一闪一闪地发着光——

火焰已将烧到上官金虹的手了。

上官金虹却似连一点感觉都没有。

就在这时，“呼”的一声，烟斗中的烟叶终于被燃着。

上官金虹弯曲着的三根手指似乎动了动，老人的无名指和小指也动了动，他们的动作都很快，而且一动之后就停止。

于是上官金虹开始后退。

老人开始抽旱烟。

两人从头到尾都低着头，谁也没有去看对方一眼。

直到这时，李寻欢才松了口气。

在别人看来，亭子中的两个人只不过在点烟而已，但李寻欢却知道那实在不啻是一场惊心动魄的决斗！

上官金虹一直在等着机会，只要老人的神志稍有松懈，手腕稍不稳定，他立刻便要出手。

只要他出手，就必定有一击致命的把握。

但他始终找不到这机会。

到最后他还是忍不住，弯曲着的三根手指已跃跃欲试，他每根手指的每一个动作中都藏着精微的变化。

怎奈老人的无名指和小指已立刻将他每一个变化都封死。

这其间变化之细腻精妙，自然也只有李寻欢这种人才能欣赏，因为那正是武功中最深奥的一部分。

两人虽只不过将手指动了动，但却当真是千变万化，生死一发，其间的危机绝不会比别人用长刀利剑大杀大砍少分毫。

现在，这危机总算已过去了。

上官金虹后退三步，又退回原来的地方。

老人慢慢地吸了口烟，才缓缓抬起头来。他仿佛直到此刻才看到上官金虹，微微笑了笑，道："你来了？"

上官金虹道："是。"

老人道："你来迟了！"

上官金虹道："阁下在此相候，莫非已算准了这是我必经之路。"

老人笑了笑，道："我只盼你莫要来。"

上官金虹道："为什么？"

老人缓缓道："因为你就算来了，还是立刻要走的。"

上官金虹长长吸了口气，一字字道："我若不想走呢？"

老人淡淡道："我知道你一定会走的。"

上官金虹的手，忽然紧紧握了起来。

始终影子般随在他身后的荆无命，左手也立刻握住了剑柄。

长亭中似乎立刻就充满了杀机。

老人却只是长长吸了口烟，又慢慢地吐了出来。

自他口中吐出来的烟，本来是一条很细很长的烟柱。

然后，这烟柱就慢慢发生了一种很奇特的弯曲和变化，突然一折，射到上官金虹面前。

上官金虹似乎吃了一惊。

但就在这时，烟雾已忽然间消散了。

上官金虹凝视袅娜四散的烟雾，紧握着的双手缓缓松开……

荆无命的手也离开了剑柄。

上官金虹忽然长长一揖，道：“佩服。”

老人道：“不敢。”

上官金虹缓缓道：“你我十七年前一会，今日别过，再见不知何时？”

老人淡淡道：“相见争如不见，见又何妨？不见又何妨？”

上官金虹沉默着，似想说什么，却未说出口来。

老人又开始抽烟。

上官金虹缓缓转过身，走了出去。

荆无命影子般跟在他身后……

灯笼渐渐远去，大地又陷入了黑暗。

李寻欢目光却还停留在灯光消失处，看来仿佛有什么心事。

上官金虹走的时候，似有意，似无意，曾抬起头向他这边瞧了一眼，他才第一次看到上官金虹的眼睛。

他从未见过如此阴森，如此锐利的目光。

他从这双眼睛，已可判断出上官金虹的内力武功也许比传说中还要可怕。

但最可怕的，还是荆无命的眼睛。

上官金虹抬起头的时候，他也抬头向这边瞧了一眼。

只瞧了一眼。

但无论谁被这双眼睛瞧了一眼，心里都会觉得很不舒服，很闷，闷得像是要窒息，甚至想呕吐。

因为那根本不是双人的眼睛，也不是野兽的眼睛。

无论人的眼睛，还是野兽的眼睛至少都是活的，都有情感，无论是贪婪，是残酷，是狠毒……至少也是种“情感”。

但这双眼睛却是死的。

他漠视一切情感，一切生命——甚至他自己的生命。

孙小红却全没有注意到这些，因为她正凝视着李寻欢。

这是她第一次看清了李寻欢。

虽然在黑暗中，但李寻欢面上的轮廓看来却仍是那么显明，尤其是他的眼睛和鼻子，给人的印象更深刻。

他的眼睛深邃而明亮，充满了智慧，他目光中虽带着一些厌倦，一些嘲弄，却又充满了伟大的同情。

他的鼻子直而挺，象征着他的坚强、正直和无畏。

他的眼角已有了皱纹，却使他看来更成熟，更有吸引力，更有安全感，使人觉得他是完全可以信任，完全可以倚靠的。

这正是大多数少女梦想中男人的典型。

他们全未发现那老人已向他们走了过来，正微笑着在瞧着他们，目光中充满了欣慰。

他静静地瞧了他们很久，才微笑着道：“你们可有人愿意陪老头子聊聊天么？”

不知何时月已升起。

灰白色的大路，在月光下笔直地伸向前方。

老人和李寻欢走在前面，孙小红默默地跟在他们身后。

她虽然垂着头没有说话，但心里却愉快得几乎想呐喊，因为她只要一抬头，就可见到她心目中最佩服的男人和最可爱的男人。

月光渐渐明亮，将他们的影子温柔地印在她身上。

她觉得幸福极了。

老人吐出了一口烟，缓缓道：“我老早就听说过你，老早就想找你喝喝酒，聊聊天，今天才发现，跟你聊天的确是件很愉快的事。”

李寻欢只笑了笑，他身后的孙小红却已吃吃地笑了出来，道：

“但他直到现在，除了向你老人家问好之外，别的话连一个字都没有说呀。”

老人笑道：“这正是他的好处，不该说的话他一句也没有说，不该问的话一句也没有问，若是换了别人，一定早已设法探听我们的来历了。”

李寻欢微笑道：“这也许只因为我早已猜着了前辈的来历。”

老人道：“哦？”

李寻欢道：“普天之下，能将上官金虹惊退的人并不多。”

老人笑了，道：“你若以为上官金虹是被我吓走的，你就错了。”

他不等李寻欢说话，已接着道：“上官金虹的武功，你想必也已看出；寸步不离跟着他的那少年人，更是可怕的对手。以他们两人联手之力，天下绝没有一个人能抵挡他们三百招，更莫说要胜过他们了。”

李寻欢目光闪动，道：“前辈也不能？”

老人道：“我也不能。”

李寻欢道：“但他们却还是走了。”

老人笑了笑，道：“这也许是因为他们觉得现在还没有必要杀我，也许是因为他们早已发觉你在这里，他们没有把握能胜过我们两人。”

孙小红又忍不住道：“他们就算已发觉树后有人，又怎知是李……李探花呢？”

老人道：“像李探花这样的绝顶高手，就算静静地站在那里不动，但只要他心里对某人生出了敌意，就会散发出一种杀气。”

孙小红道：“杀气？”

老人道：“不错，杀气。但这种杀气自然也只有上官金虹那样的高手才能感觉得出。”

孙小红叹了口气，摇着头道：“你老人家说得太玄了，我不懂。”

老人肃然道：“武功本就是件很玄妙的事，懂得的人本就不多。”

李寻欢道：“无论他们是为何走的，前辈相助之情，总是……”

老人打断了他的话，道：“你若以为我是在帮你的忙，你就错了，我做事一向都是为自己的。”

李寻欢道：“可是……”

老人又打断了他的话，带着笑道：“我只是喜欢看见你这种人好好地活着，因为像你这样的人，活在世上的已不多了。”

李寻欢只有微笑，只有沉默。

老人道：“你我虽初次相见，但你的脾气我很了解，所以我也并不想劝你离开这里。”

他目光凝视着李寻欢，神情忽然变得很郑重，缓缓道：“我只希望你能明了一件事。”

李寻欢道：“前辈指教。”

老人正色道：“林诗音是用不着你来保护的，你走了对她只有好处。”

李寻欢又为之默然。

老人道：“林诗音本人并不是别人伤害的对象，别人想伤害她，只不过是因为你，换句话说，别人要伤害她，就因为你在保护她，你若不保护她，也就根本没有人要伤害她了……这道理你明白吗？”

李寻欢就好像忽然被人抽了一鞭，痛苦得全身都仿佛收缩了起来，他忽然觉得自己仿佛只有三尺高。

老人却似全未留意到他的痛苦，接着又道：“你若觉得她太寂寞，想陪伴她，现在也已用不着，因为龙啸云已回来了，你留在这里，只有增加她的烦恼。”

李寻欢目光茫然凝视着远方的黑暗，沉默了很久很久，才长长叹了口气，黯然自语道：“我错了，我错了，我又错了……”

他的腰似也弯了下去，背也无法挺直。

孙小红望着他的背影，心里又是怜惜，又是同情。

她知道她爷爷是在故意刺激他，故意令他痛苦，她也知道这样做对他只有好处，但她却不忍。

老人道：“龙啸云忽然回来，只因他已找到个他自信可以对付李寻欢的帮手。”

李寻欢苦笑道：“他又何必找人对付我？我还是将他当作我的朋友。”

老人道：“但他却不这么想……你可知道他找来的人是谁？”

李寻欢道：“胡不归？”

老人道：“不错，正是那疯子。”

孙小红插嘴道："胡疯子的武功真的那么厉害？"

老人道："普天之下只有两个人，我始终估不透他们武功之深浅。"

孙小红道："哪两个人？"

老人含笑望着李寻欢，道："其中一人是李探花，另一人就是胡疯子。"

李寻欢笑道："前辈过奖了，据我所知，我的朋友阿飞武功就绝不在我之下，还有荆无命……"

老人截口道："阿飞和荆无命一样，他们根本不懂得武功。"

李寻欢愕然道："前辈说他们不懂武功？"

老人道："不错，他们非但不懂武功，而且不配谈武……"

他冷冷接着道："他们只会杀人，只懂得杀人。"

李寻欢默然良久，缓缓道："但阿飞和荆无命还是不同的。"

老人道："有何不同？"

李寻欢道："也许他们杀人的方法并无不同，但他们杀人的目的却绝不一样。"

老人道："哦？"

李寻欢道："阿飞只有在万不得已时才杀人，荆无命却只是为了杀人而杀人。"

老人慢慢地点了点头，道："你说得不错，我也知道阿飞是你的朋友，但你为何一点也不关心他，为何不去看看他？"

李寻欢垂下头，道："我……"

老人道："你若想去看看他，现在正是时候，否则只怕就太迟了。"

李寻欢忽然挺起胸，道："好，我这就去找他！"

老人目中这才露出一丝笑意，道："你知道他住的地方？"

李寻欢道："我知道。"

孙小红忽然赶到前面来，眼睛里发着光，道："但你也许还是找不着，还是让我带你去的好。"

李寻欢还未开口，老人已板着脸道："你还有你的事，李探花也用不着你带路。"

孙小红嘟起嘴，垂下头，看样子几乎要哭了出来。

李寻欢沉吟着，抱拳道："就此别过。"

他心里本有许多话要说，却只说了这四个字，因为他知道在这老人面前，无论说什么话都是多余的。

老人一挑大拇指，赞道："对，说走就走，这才是男子汉，大丈夫！"

李寻欢果然说走就走，而且没有回头。

孙小红目送他远去，眼圈儿都红了。

老人轻轻拍了拍她肩头，柔声道："你心里是不是很难受？"

孙小红眼睛还是呆呆地望着李寻欢身形消失处，道："没有。"

老人笑了，笑容中带着无限慈祥，摇着头道："傻丫头，你以为爷爷不知道你的心么？"

孙小红嘟着嘴，终于忍不住道："爷爷既然知道，为什么不让我陪他去。"

老人柔声道："傻丫头，你要知道，像李寻欢这样的男人，可不是容易得到的。"他目中闪着世故的智慧之光，微笑着接道："你要得到他的人，就先要得到他的心，那可不简单，一定要慢慢地想法子，但你若追得他太紧，就会将他吓跑了。"

李寻欢虽然说走就走，虽然没有回头，但他的心却仍然被一根无形的线系着，系得紧紧的。

他知道自己这一走，又不知要等到何时才能再见到林诗音了。

相见时难，别亦难。

这十余年来，他只见到林诗音三次。每次都只有匆匆一面，有时甚至连一句话都没有说，但系在他心上的线，却永远是握在林诗音手里的。只要能见到她，甚至只要能感觉到她就在自己附近，他就心满意足。

第三十八章

祖孙

秋风扑面，已有冬意。

秋已残。

李寻欢的心境也正如这残秋般萧索。

“你留在这里，只有增加她的烦恼和痛苦……”

老人的话，似乎还在他耳边响着。

他也知道自己非但不该再见她，连想都不该想她。

他停下脚步，倚着一株枯树剧烈地咳嗽起来，等这阵咳嗽平息，他已决定不再想这些不应想的事。

幸好他还有许多别的事要想。

那老人不但是智者，也必定是位风尘异人，绝顶高手。世上无论什么事，他似乎都很少有不知道的。

但他的身份却实在太神秘。

他究竟是什么人？究竟隐藏了些什么？

孙驼子，李寻欢很佩服。

一个人若能在抹布和扫把间隐忍十五年，无论他是为了什么，都是值得人深深佩服的。

但他究竟是为了谁才这样做？

他们守护的究竟是什么？

至于孙小红——孙小红的心意，他怎会不知道？

但他却不能接受，也不敢接受。

总之，这一家人都充满了神秘，神秘得几乎已有些可怕……

山村。

山脚下，枫林里，高高挑起一面青布酒旗。

酒铺的名字很雅，有七个字："停车爱醉枫林晚。"

只看这名字，李寻欢就已将醉了。

酒不醇，却很清、很冽，是山泉酿成的。

山泉由后山流到这里，清可见底，李寻欢知道沿着这道泉水走到后山，就可在一片默林深处找到三五间精致的木屋。

阿飞和林仙儿就在那木屋里。

想到阿飞那英俊瘦削的脸，那明亮锐利的眼睛，那孤傲倔强的表情，李寻欢的血都似已沸腾了起来。

最令人难以忘怀的，还是他那难得见到的笑容，还有他那颗隐藏在冰雪后的火热的心。

近乡情怯。

李寻欢此刻正有这种心情，没有到这里的时候，他恨不得一步就赶到这里，到了这里，他反而像是有些不敢去看阿飞了。

他不知道阿飞这两年来已变成什么模样。

他不知道林仙儿这两年来是怎么样对待他的。

"她虽然像是天上的仙子，却专门带男人下地狱！"

阿飞是不是已落入地狱中了？

李寻欢不敢去想，他很了解阿飞，他知道像阿飞这种人，若为了爱情，是不惜活在地狱中的。

黄昏，又是黄昏。

小店中还没有燃灯。因为灯油并不便宜，而店里又没有别的客人。

李寻欢坐的位置，是这小店中最阴暗的角落里。

这是他的习惯，因为坐在这种地方，他可以一眼就看到走进来的人，而别人却很难发现他。

但他却绝未想到第一个走进来的人竟是上官飞。

他一走进来就在最靠近门口的位置上坐下，眼睛一直瞪着门外，仿佛是在等人，神情竟显得有些焦急，有些紧张。

这和他往昔那种阴沉镇静的态度大不相同。

他等的显然是个很重要的人，而且他单身前来，未带随从，显见这约会非但很重要，而且很秘密。

在这种偏僻的山村，怎会有令他觉得重要的人物？

那么他等的是谁呢？

他到这里来，是不是和阿飞与林仙儿有关系？

李寻欢以手支额，将面目隐藏了起来。

其实他用不着这样做，上官飞也不会看到他。

上官飞的眼睛一直瞪着门口，根本就没有向别的地方看一眼。

天色更暗。

小店中终于挂起了灯。

上官飞的神情显得更焦躁，更不安。

就在这时，已有两顶绿泥小轿停在门口。抬轿的都是三十来岁的年轻小伙子，崭新的蓝布衫裤，例赶千层浪绑腿，搬尖洒鞋，腰上还系着根血红腰带，看来又威武，又神气。

第一顶小轿中已走下个十三四岁的红衣小姑娘，虽然还没有吸引男人的魅力，但纤腰一握，倒也楚楚动人。

上官飞刚拿起酒杯，突然放下。

这小姑娘剪水般的双瞳四下一转，已盈盈来到他面前，面靥上带着春花般的微笑，嫣然裣衽道："公子久候了。"

上官飞目光闪动，道："你是……"

红衣小姑娘眼波又四下一转，悄声道："停车爱醉枫林晚，娇靥红于二月花。"

上官飞霍然长身而起，道："她呢？她不能来？"

红衣小姑娘抿嘴笑道："公子且莫心焦，请随我来……"

李寻欢看着上官飞走出门，坐上了第二顶小轿，看着轿夫们将轿子抬起，他就发觉一件很奇怪的事。

这些轿夫们一个个都是年轻力壮，行动矫健，第一顶小轿的轿夫抬轿时根本不费吹灰之力。

但第二顶小轿的轿夫抬轿时却显得吃力多了。

同样的轿夫，同样的轿子，上官飞的身材也并不高大，这第二顶轿子为何比第一顶重得多呢？

李寻欢立刻随着付清了酒账，走出了门。

他本不喜欢多管别人的闲事，更不愿窥探别人的隐私，但现在他却决定要尾随上官飞，看看他约会的究竟是什么人。

因为李寻欢总觉得他到这里来，必定和阿飞有些关系。

谁的事都可以不管，阿飞的事却是非管不可的。

这山村主要的道路只有一条，由官道岔进来，经过一家油盐杂货铺，一家米庄，一家小酒店，和七八户住家，便蜿蜒伸入枫林。

轿子已走入枫林。

前面的轿夫走得很轻松，脚步也很轻快，后面的轿夫却已在流汗，因为他们抬的这顶轿子不但重，而且轿子里还在不停地动。

突然，轿子里传出了一声笑。

笑声又娇又媚，而且还带着轻轻的喘息，无论任何人，只要他是男人，听了这种笑声都无法不动心。

只有最娇、最媚的女人，才会发出这种笑声。

但轿子里坐的明明是上官飞，难道上官飞已变成了女人？

过了半晌，轿子里又发出一声销魂的娇啼："小飞，不要这样……在这里不可以……"

然后就听到上官飞喘息着说："我简直等不及了……你知不知道我多想你。"

"原来你也和别的男人一样，想我，就是为了要欺负我。"

"对，我就是要欺负，因为我知道你喜欢被男人欺负，是不是……是不是……是不是……"

喘息的声息更剧烈，但语声却低了。

"是是是，你欺负我吧……欺负我吧……"

语声愈来愈低，渐渐模糊，终于听不见。

轿子已上了山坡。

李寻欢倚在山坡下的一株枫树后，在低低的咳嗽。

"原来轿子里有两个人。"

其中一人自然是上官飞。

但一直在轿子里等着他的女人是谁？

那娇媚的笑声，那销魂的昵语，李寻欢听来都很熟悉。

他一向对女人很有经验，他知道世上会撒娇的女人虽然不少，但撒起娇来真能令男人动心的却不多。

他简直已可说出轿子里这女人的名字。

但他不敢说，因为他还没有确定。

无论对什么事，他都不肯轻易下判断，因为他不愿再有错误，对他说来，一次错误就已太多了。

他判断错一次，不但害了他自己一生，也害了别人一生。

山坡上，枫林深处，有座小小的楼阁。

轿子已在这小楼前停了下来，后面的轿夫正在擦汗，前面轿子那小姑娘已走了出来，走上了小楼旁的梯子，正在敲门。

“笃、笃笃！”她只敲了三声，门就开了。

第二顶轿子里直到这时才走出个人来。

是个女人。

李寻欢看不到她的脸，只看出她的衣服和头发都已很凌乱，身段很诱人，走路的姿态更诱人。

她的腰在扭着，但扭得并不厉害，女人走路腰肢若不扭动，固然很无趣，但若扭得太厉害，也会令人觉得恶心。

这女人扭得恰到好处。

她的步履也很轻盈，走得并不快，也不太慢。

这种姿态李寻欢看来也很熟悉。

女人虽然都有两条腿，都会走路，但真正懂得如何走路的却不多，大多数女人走起路来不是像根木头，就是像只扫把。

还有一部分女人走路就像是不停地在抽筋。

只见她盈盈上了小楼，突然回过头来，向刚走出轿子的上官飞招了招手，才闪身入了门。

李寻欢只能看到她半边脸。

她的脸白中透红，仿佛还带着一抹春色。

这一次李寻欢终于确定了。

“这女人果然就是林仙儿！”

林仙儿在这里，阿飞呢？

李寻欢真想冲进去问问她，却又忍住，因为他不愿看到林仙儿和上官飞现在正要做的那件事。

他怕看到了会恶心。

李寻欢是个很奇怪的人。

他虽然并不是君子，但他做的事却是大多数“君子”不会做，不愿做，也永远无法做得到的。

他做的事简直没有任何人能做得到，因为世上只有这样一个李寻欢，以前固然没有，以后恐怕也不会再有了。

是以世上虽有些人一心只希望李寻欢快些死，但也有些人情愿不惜牺牲一切，让他活下去。

夜已深了。

李寻欢还在等着。

一个人在等待的时候，总会想起许多事。

他想起第一次见到阿飞的时候……

阿飞正在冰天雪地中一个人慢慢地走着，看来是那么孤独，那么疲倦，但却宁愿忍受孤独、疲倦和饥寒，也不愿接受任何人的恩惠。

那天李寻欢并不寂寞，还有铁传甲和他在一起。

他不禁又想起了铁传甲，想起了他那张和善、忠诚的脸，想起了他那铁打般的胴体……

只可惜他的胴体虽如钢铁般坚强，但一颗心却是那么脆弱，那么容易被感动，所以他活在世上，也总是痛苦多于欢乐。

想着想着，李寻欢突然又想喝酒了，幸好他身上常常都带着个扁扁的、用白银打成的酒瓶。

他取出酒瓶，将剩下的酒全部喝了下去。

然后他又咳嗽起来。

这两年他咳的次数似乎少了些，但一咳起来，就很难停止，他自然也知道这并不是好现象。

但他却并不忧虑。

他从来也不肯为自己忧虑。

就在这时，小楼上的门已开了。

上官飞已走了出来，自门里射出的灯光，照在他身上，他看来比平时愉快多了，只不过显得有些疲倦。

门里面伸出一只手，拉着他的手。

晚风中传来低低的细语，似在珍重再见，再三叮咛。

过了很久，那只手才缓缓松开。

又过了很久，上官飞才慢慢走下楼梯。

他走得很慢，不住回头，显然还舍不得走。

但这时小楼上的门已关了。

上官飞仰首望天，长长吸了口气，脚步突然加快，但神情看来还有些痴痴迷迷的，时而叹息。

“他是不是也被带入了地狱？”

小楼上的灯光很柔和，将窗纸都映成粉红色。

上官飞终于走了，李寻欢忽然觉得这少年也很可怜。

这世上有很多年轻人不但聪明，而且高傲，但他们却偏偏总是最容易被女人欺骗，被女人玩弄。

李寻欢长长叹了口气，大步向小楼走了过去。

小楼设计得很巧妙，是用木架架在山腰上的，旁边有条窄窄的楼梯，看来很精致，也很新奇。

“笃！”李寻欢先敲了一声门，又“笃笃”接连敲了两声，他早已发觉那小姑娘敲门正是用这种法子。

“笃、笃笃！”敲了三声后，门果然开了一线。

一人道：“你……”

他只说了一个字，就看清李寻欢了，立刻就想掩门。

但李寻欢已推开门走了进去。

开门的竟不是林仙儿，也不是那穿红衣服的小姑娘，而是个白发苍苍，满面皱纹的老太婆。

她吃惊地瞧着李寻欢，颤声道：“你……你是谁？到这里来干什么？”

李寻欢道：“我来找个老朋友。”

老太婆道：“老朋友？谁是你的老朋友？”

李寻欢笑了笑，道："她看到我时，一定会认得的。"

他嘴里说着话，人已走了进去。

老太婆想拦住他，又不敢，大声道："这里没有你的老朋友，这里只有我，和我孙女两个人。"

李寻欢还是往里面走，这老太婆无论说什么，他都好像听不见。

小楼上一共隔出了三间屋子，一间客屋、一间饭厅、一间卧室，布置得自然都很精雅。

但三间屋子里都看不到林仙儿的影子。

那穿红衣服的小姑娘像是害怕得很，脸都吓白了，全身不停地发抖，躲在那老太婆怀里，眼睛瞪着李寻欢，颤声道："奶奶这人是强盗么？"

老太婆吓得连话都说不出了。

李寻欢虽常常被人看成浪子、色狼，甚至被人看成凶手，至少却还没有被人当作强盗。

他觉得有些哭笑不得，苦笑道："你看我像不像强盗？"

小姑娘咬着嘴唇道："你若不是强盗，为什么三更半夜闯到人家里来？"

李寻欢道："我是来找林姑娘的。"

小姑娘像是觉得他很和气，已不太害怕了，眨着眼道："这里没有林姑娘，只有位周姑娘。"

林仙儿莫非用了化名？

李寻欢立刻追问道："周姑娘在哪里？"

小姑娘指着自己的鼻子，道："我姓周，周姑娘就是我。"

李寻欢笑了。

他忽然觉得自己简直像是个呆子。

小姑娘似乎也觉得有些好笑，目中闪动着笑意，道："但我却不认得你，你为何来找我？"

李寻欢苦笑道："我找的是位大姑娘，不是小姑娘。"

小姑娘摇着头道："这里没有大姑娘。"

李寻欢道："这里刚刚没有人来过？"

小姑娘道："有人来过……"

李寻欢抢着问道："谁？"

小姑娘道："我和我奶奶，我们刚从镇上回来。"

她眼珠子转动，又道："这里只有两个人，小的是我，大的是我奶奶，但她也早就不是姑娘了，你总不会是找她吧？"

李寻欢又笑了。

他觉得自己很笨的时候，总是会发笑。

小姑娘道："除了我和我奶奶外，这里既没有人来过，也没有人出去，你若是看到别人，一定是见着鬼了。"

李寻欢的确没有看到有人出去。

门窗一直都是关着的，也不像有人出去过的样子。

但他却明明看到林仙儿走进来。

难道他真的见着鬼了么？

难道从轿子里走出来的那女人，就是这老太婆？

老太婆忽然跪了下来，道："我们祖孙都是可怜人，这里也没有什么值钱的东西，大爷你无论看上了什么，只管拿走就是。"

李寻欢道："好。"

饭厅的桌上有瓶酒。

李寻欢拿起了这瓶酒，头也不回地走了出去。

只听那小姑娘在后面偷偷笑着道："原来这人并不是强盗，只不过是个酒鬼而已。"

第三十九章

阿　飞

月仍未缺。

山泉在月光下看来就像是条闪着光的银带。

李寻欢手里还提着那酒瓶，瓶子里还剩下半瓶酒。夜很静，流水的声音在静夜中听来就像是音乐。

他沿着山泉，慢慢地走着，走得并不急。他不愿在天还未亮时就走到阿飞住的地方，免得惊扰他们的好梦。

他从不愿打扰别人。

但无论什么人，无论在什么时候来打扰他，都没有关系。

那老太婆，绝不是林仙儿改扮的。

林仙儿到哪里去了呢？

李寻欢揉了揉自己的眼睛："难道我已老眼昏花？"

月已落，星已稀，东方渐渐现出曙色，天终于亮了。秋已残，梅花已渐渐开放。

李寻欢忽然闻到一阵淡淡的幽香，抬起头，默林已在望。

默林深处，已隐约可以望见木屋一角。

面对着这一片默林，李寻欢似乎又变得痴了。

幽谷中的梅树虬蟠如铁，妙趣天成，绝非红尘中的俗梅可比，但世上又有什么地方的梅花，能比得上自己家园中的梅花？

默林旁，就是泉水的尽头。

一线飞泉，自半山中倒挂而下，衬着这片梅花，更宛如图画。

图画中竟有个人。

李寻欢也看不到这人的脸，只看出他穿着套很干净、很新的青布衫裤，头发也梳理得很光很亮。

他手里提着水桶，穿过默林，走入木屋。

这人的身材虽然和阿飞差不多，但李寻欢却知道他绝不会是阿飞，阿飞的样子绝不会如此拘谨，头发也不会梳得这么亮。

那么这人是谁？

李寻欢想不出有谁会和阿飞住在一起。

他立刻赶了过去。

木屋的门，是开着的，屋子里虽没有什么华丽的陈设，但却收拾得窗明几净，一尘不染。

桌子的角落里，有张八仙桌，那穿新衣的少年正从水桶里拧出了一块抹布，开始抹桌子。

他抹得比孙驼子还要慢，还要仔细，看来好像这桌子上只要有一点灰尘留下来，他就见不得人了似的。

李寻欢从背后望过去，觉得他的背影实在很像阿飞。

但他绝不会是阿飞。

李寻欢简直无法想象阿飞抹桌子的模样，但这人既然也住在这里，自然一定是认得阿飞的。

他至少应该知道阿飞在哪里。

李寻欢轻轻咳嗽了一声，希望这人回过头来，他才好向他打听。

这人的反应并不快，但总算是慢慢地回过头来。

李寻欢呆住了。

他认为绝不会是阿飞的人，赫然就是阿飞。

阿飞的容貌当然并没有变，他的眼睛还是很大，鼻子还是很挺，看来还是很英俊，甚至比以前更英俊了些。

但他的神情却已变了，变得很多。

他眼睛里已失去了昔日那种慑人的魔力，面上那种坚强、孤傲的神情也没有了，竟变得很平和，甚至有些呆板。

他看来也许比以前好看多了，干净多了，但以前他那种咄咄逼人的神采，那种令人炫目的光芒，如今却已不复再见。

这真的就是阿飞？

这真的就是昔日那孤独地走在冰雪中，死也不肯接受别人的少年？真的就是那快剑如风，足以令天下群雄胆寒的少年？

李寻欢简直无法想象，现在这身上穿着新衣服，手里拿着块抹布的人，就是以前他所认识的阿飞。

阿飞自然也看到了李寻欢。

他先是觉得很意外，表情有些发怔，然后脸上才终于渐渐露出了一丝微笑——谢天谢地，他笑得总算还和以前同样动人。

李寻欢也笑了。

他面上虽然在笑，心头却有些发苦。

两人就这样面对面地瞧着，面对面地笑着，谁也没有移动，谁也没有说话，可是两人的眼睛却已渐渐湿润，渐渐发红……

也不知过了多久，阿飞才缓缓道："是你。"

李寻欢道："是我。"

阿飞道："你毕竟还是来了。"

李寻欢道："我毕竟还是来了。"

阿飞道："我知道你一定会来的。"

李寻欢道："我是一定要来的。"

他们说话都很慢，因为他们的语声已有些哽咽，说到这里，两人突又闭上嘴，像是已无话可说。

但就在这时，阿飞突然从屋子里冲了出来，李寻欢也突然从外面冲了进去，两人在门口几乎撞到一起，互相紧紧握住了手。

两人的呼吸都似已停顿，过了很久，李寻欢才长长吐出口气来，勉强将自己心头的激动压下，道："这两年来，你过得还好么？"

阿飞慢慢地点了点头，道："我……我很好，你呢？"

李寻欢道："我？我还是老样子。"

他举起了另一只手上的酒瓶，带着笑道："你看，我还是有酒喝，连我那咳嗽的毛病，这两年都好像已经被酒冲走了，你……"

一句话未说完，他又咳嗽起来，咳个不停。

阿飞静静地望着他，似已有泪将落。

突听一人道："你看你，李大哥来了，你也不请人家到屋里坐，却像个呆子般站在门口，也不怕人家看到笑话么？"

语声美而媚，带着三分埋怨、七分爱娇。

林仙儿终于露面了。

林仙儿却还是一点也没有变。

她还是那么年轻，那么美丽，笑起来也还是那么开朗，那么可爱，她的眼睛还是发着光，亮得就像是天上的明星。

若有人一定要说她已变了，那就是她已变得比以前更成熟，更有光彩，更有吸引人的魅力。

她就站在那里，温柔地瞧着李寻欢，柔声道："快两年了，李大哥也不来看看我们，难道已经将我们忘了吗？"

无论谁听到这句话，都一定会认为李寻欢早已知道他们住的地方，却始终没有来探望他们。

李寻欢笑了，缓缓道："你又没有用轿子来接我，我怎么来呢？"

林仙儿眨了眨眼睛，笑道："说起轿子，我倒也真想坐一次，看看是什么滋味。"

李寻欢目光闪动，道："你没有坐过轿子？"

林仙儿垂下了头，幽幽道："像我这样的人，哪有坐轿子的福气。"

李寻欢道："但昨夜镇上，我看到有个人坐轿经过，那人真像你。"

他眼睛转也不转地盯着林仙儿。

林仙儿面上却连一点惊慌的表情都没有，反而笑道："那一定是我在梦中走出去的……你说是吗？"

后面一句话，她是对阿飞说的。

阿飞立刻道："每天晚上她都睡得很早，从来没有出去过。"

李寻欢心里又打了个结。

他知道阿飞是绝不会在他面前说谎的，但林仙儿若一直没有出去，昨天晚上从轿子走出来的那女人是谁呢？

林仙儿已靠近阿飞身旁，将阿飞本来已很挺的衣服又扯平了些，目中带着无限温柔，轻轻道："昨天晚上你睡得还好么？"

阿飞点了点头。

林仙儿柔声道："那么你就陪李大哥到外面去走走，我到厨房去做几样菜，替大哥接风。"

她瞟了李寻欢一眼，嫣然道："外面的梅花已快开了，我知道李大哥最喜欢梅花……是吗？"

阿飞走路的姿势似也变了。

他以前走路时身子虽然永远挺得笔直，每一步迈出去，虽然都有一定的距离，但他的肌肉却是完全放松的。

别人走路是劳动，在他，却是种休息。

现在他走路时身子已没有以前那么挺了，仿佛有些魂不守舍，心不在焉，却又显得有些紧张。

他显然已不能完全放松自己。

两人走了很长的一段，李寻欢还没有说话。

因为他也不知道该说什么。

他本想问问阿飞，为什么要躲到这里来？林仙儿是否已承认了自己的罪行？她劫来的财富是否已还给了失主？

但他都没有问。

他不愿触及阿飞的隐痛。

阿飞也沉默着，又走了很长的一段路，他忽然长长叹了口气，道："我对不起你。"

李寻欢也叹了口气，道："你为了救我，不惜自做梅花盗，甚至连自己的性命都不要了，这样若也算对不起我，我倒真希望天下人都对不起我了。"

阿飞似乎全没有听他说话，缓缓接着道："我走的时候，至少应该告诉你一声的。"

李寻欢柔声道："我知道你一定有你的苦衷，我不怪你。"

阿飞黯然道："我也知道我不该这么做，可是我无论如何也无法对她下手，我……我实在已离不开她。"

李寻欢笑道："一个男人爱上了一个女人，本是天经地义的事，一点也没有错，你为什么偏偏要责怪自己？"

阿飞道："可是……可是……"

他神情忽然激动了起来，大声道："可是我却对不起你，也对不起那些受了梅花盗之害的人。"

李寻欢沉默了半晌，试探着问道："但她已改过了，是吗？"

阿飞道："我们临走的时候，她已将所有劫来的财物都还给了别人。"

李寻欢道："既然如此，还难受什么？放下屠刀，立地成佛——这句话你不懂？"

他不愿阿飞再想这件事，忽然抬头笑道："你看，这棵树上的梅花已开了。"

阿飞道："嗯。"

李寻欢道："你可知道已开了多少朵？"

阿飞道："十七朵。"

李寻欢的心沉落了下去，笑容也冻结。

因为他数过梅花。

他了解一个人在数梅花时，那是多么寂寞。

阿飞也抬起头，喃喃道："看来又有一朵要开了，为何它们要开得这么早呢？开得早的花朵，落得岂非也早些……"

木屋一共有五间，一间客厅，一间贮物，后面是厨厕，剩下的两间屋子里，都摆着床。

较大的一间陈设较精致，还有妆台。

阿飞道："仙儿就睡在这里。"

较小的一间也收拾得干干净净，一尘不染。

阿飞道："这是我的屋子。"

李寻欢默然。

他这才知道阿飞和林仙儿原来一直是分开来睡的。两人在这里共同生活了两年，而阿飞又是血气方刚的年轻人。

李寻欢觉得很意外，也很佩服。

阿飞脸上忽然露出一丝微笑，道："你若知道这两年来我睡得多早，一定会奇怪。"

李寻欢道："哦？"

阿飞道："天一黑我就睡了，一沾枕头就睡着，而且一觉睡到天亮，从不会醒。"

李寻欢沉吟着，微笑道："生活有了规律，睡得自然好。"

第四十章

奸情

阿飞道："这两年来，我日子的确过得很平静……我一生中从未有过如此安定平静的日子，她……她也的确对我很好。"

李寻欢笑道："听到你说这些话，我也很高兴，太高兴了……"

他自然不愿被阿飞看出他笑得有些不自然，嘴里说着话，头已转了过去，四面观望着，突然又道："你的剑呢？"

阿飞道："我已不用剑了。"

李寻欢这才真的吃了一惊，失声道："你不用剑了？为什么？"

阿飞道："剑是凶器，而且总会让我想起那些过去的事。"

李寻欢道："这是不是她劝你的？"

阿飞道："她自己也放弃了一切，我们都想忘记过去，从头做起。"

李寻欢点着头，缓缓道："很好，很好，很好……"

他本来像是还有话要说的，但这时林仙儿的呼声已响起："菜已摆上桌了，老爷们还不想回来么？"

菜不多，却很精致。

林仙儿的菜居然烧得这么好，倒也是件令人想不到的事。

除了菜之外，桌上当然还有酒杯，但酒杯里装的却是茶。

林仙儿笑道："山居简陋，仓猝间无酒为敬，只好以茶作酒了。"

李寻欢笑道："幸好我还带了半瓶酒来……"

他目光四转，终于找到了方才摆在椅子角落里的那酒瓶，先将自己杯中的茶一饮而尽，向阿飞笑道："来，你也快把茶喝完，我替你倒酒。"

阿飞没有说话。

林仙儿微笑着，笑得很可爱。

阿飞突然道："我戒酒了。"

李寻欢又吃了一惊，失声道："你戒酒了？为什么？"

阿飞脸上一点表情也没有。

林仙儿嫣然道："酒喝多了，对身体总不太好的，李大哥你说是吗？"

李寻欢沉默了很久，才慢慢地笑了，道："不错，酒喝多了，就会变得像我这样子，我若能倒退十几二十年，我也一定要戒酒的。"

阿飞低下头，开始吃饭。

他看来又有些心不在焉，刚挟起个肉丸，就掉在桌上。

林仙儿白了他一眼，道："你看你，吃饭就像个孩子似的，这么不小心。"

阿飞默默地又将掉在桌上的肉丸挟起。

林仙儿又白了他一眼，柔声道："你看你，肉丸掉在桌上，怎么还能吃呢？"

她自己挟起个肉丸，送到阿飞嘴里。

晚饭的菜比午饭更好，然后，天就黑了。

李寻欢睡在阿飞的床上，阿飞睡在客厅里。

林仙儿亲自为他们换上了干净的被单，铺好床，又将一套干净的衣服放在阿飞的床头。

"我喜欢小飞每天换衣服。"

临睡之前，她打了盆水，看着阿飞洗手洗脸，等阿飞洗好了，她又将手巾拿过来，替阿飞擦耳朵。

"小飞像是个大孩子，洗脸总是不洗耳朵。"

阿飞睡下去，她就替他盖好被。

"这里比较冷，小心晚上着了凉。"

她对阿飞服侍得实在是无微不至，就算是一个最细心的母亲，对她自己的孩子也未必有如此体贴。

阿飞应该算是幸福极了。

但也不知为了什么，李寻欢却有点不明白，他实在不知道阿飞这种生活是幸福，还是痛苦。

尤其是林仙儿在温柔地呼唤着“小飞”的时候，李寻欢就会不由自主想到昨夜他听到从轿子里发出的声音。

“小飞，不要这样……在这里不可以……”

上官飞是“小飞”，阿飞是“小飞”，除了他们两人之外，到底还有多少个“小飞”呢？

假如世上所有的男人的名字都叫作“飞”，她倒省事得很，因为她至少总不会将名字叫错了。

李寻欢也不知是觉得可笑，还是很可悲。

外面鼻息沉沉，阿飞果然一沾枕头就已睡着。

李寻欢却没有这么好的福气，自从三岁以后，他就从来也没有这么早睡过，杀了他也睡不着。

林仙儿的屋里一点动静都没有，也像是睡着了。

李寻欢披衣起床，悄悄走了出去。

有很多事他都想找阿飞聊聊。

但阿飞却睡得很沉，推也推不醒，就算是条猪也不会睡得这么沉的，何况是比狼还警觉的阿飞。

李寻欢站在阿飞床头，沉思着，面上渐渐露出了愤愤的表情。

“她每天都睡得很早……从不出去……”

“天一黑我就睡了，一觉睡到天亮，从不会醒。”

李寻欢记得今天晚上吃的汤是排骨汤，炖得很好，阿飞喝了很多，林仙儿也一直在劝着李寻欢多喝些。

幸好排骨汤是用笋子炖的，李寻欢虽不俗，却从来不吃笋。幸好他又是个从不忍当面拒绝别人好意的人。

他虽没有拒绝，却趁林仙儿到厨房去添饭的时候，将她盛给他的一大碗汤给阿飞喝了。

他记得林仙儿回来时看到他的汤碗已空，笑得就更甜。

她在汤里放了什么迷药？

每天晚上一大碗汤，所以阿飞每天都睡得很沉。

阿飞睡沉了，她无论去做什么，阿飞也不会知道。

但她为何不索性在汤里放些毒药？

这自然是因为阿飞还有利用的价值。

李寻欢目中射出了怒火，突然转身，用力去拍林仙儿的门。

门里没有声音，没有响应。

李寻欢一生中从未踢破过别人的房门，闯入别人的屋子。

但这一次却是例外。

屋子里果然没有人，林仙儿到哪里去了？

镇外小楼的灯光，还是淡淡粉红色。

上一次李寻欢从这小楼，走到阿飞的木屋，几乎走了一夜，但这一次他从阿飞的木屋走到这里，却只用了半个时辰。

这一次，他算准林仙儿必定在这小楼上。

他正考虑着是否现在就闯进去，小楼上的门突然开了。

一个人慢慢地走了出来，看来也和上官飞一样，神情虽然很愉快，却显得有些疲倦。

从门里射出的灯光，照在他身上。

他穿着的是一身很合身的黑衣服，眼睛里闪着光。

李寻欢本不是个容易吃惊的人，但一看到他，就又吃了一惊。

他再也想不到从这扇门里走出的人，竟是郭嵩阳！

只见门里面伸出一只白生生的手，拉着郭嵩阳的手。

晚风中传来一阵阵低语，似在珍重再见，再三叮咛。

过了很久，郭嵩阳才慢慢走下楼梯。

他走得很慢，不时回头，显然还有些舍不得走。

但小楼上的门却已关了……

这一切情形，都完全和上官飞出来时一样，除了上官飞和郭嵩阳外，还有多少人上过这小楼？

这小楼上究竟是天堂，还是地狱？

李寻欢不但觉得很悲哀，也很愤怒，他悲哀是为了阿飞而悲哀，愤怒也是为了阿飞而愤怒。

他几乎从未如此愤怒过。

方才他已忍不住要冲过去，当面揭穿林仙儿的秘密，但郭嵩阳也可算是他的朋友，而且也是个男子汉。

他不忍令郭嵩阳难堪。

只见郭嵩阳仰首望天，长长吸了口气，脚步才渐渐加快。

但走了两步，他脚步突又停住，厉声道："是什么人躲在那里，出来！"

"嵩阳铁剑"果然不愧是当今天下顶尖高手，他的警觉之高，反应之快，都绝非上官飞可比。

无论从什么地方走出来，他头脑还是能保持清醒；但他却也绝对想不到从树后走出来的人竟是李寻欢。

从小楼到"停车爱醉枫林晚"并不远，两人在这段路上说的话也不多，而且都没有说出自己心里想说的话。

但有些话迟早总是要说出来的。

酒店已打烊了，但世上哪有能挡得住他们的门？他们在柜台上留了锭银子，从柜台后拿出一坛酒。

然后，他们就坐在这酒店的屋脊上，开始喝酒。

李寻欢在很多地方都喝过酒，但坐在屋脊上喝酒，这还是生平第一次，他发觉这真是个喝酒的好地方。

现在，一坛酒已只剩下半坛了。

郭嵩阳喝得真不少——有李寻欢这样的酒伴，有清风明月沽酒，无论谁都会多喝几杯的。

有些话是只有在酒喝多了时才会说出来的。

郭嵩阳忽然道："你……你自然知道我到那楼上去做什么。"

李寻欢笑了笑，道："我知道你是男人。"

郭嵩阳道："你自然也知道在那楼上的人是谁。"

李寻欢道："是。"

郭嵩阳道："我……我并不常来找她。"

李寻欢道："哦？"

郭嵩阳道："我只有在心情不好的时候，才会来找她。"

李寻欢默默地点了点头。

他很了解他的心情，他也知道被人击败的滋味并不好受。

郭嵩阳道："我也认得很多女人，但她却是最能令我愉快的一个。"

李寻欢沉默着，缓缓道："你可知道她是怎样的一个女人么？"

郭嵩阳喝了口酒，道："我认得她已有很久了。"

李寻欢道："她对你怎样？"

郭嵩阳笑了，道："她会对我怎样？这种女人对任何人都是一样的，只看那男人是不是有被她利用的价值。"

李寻欢道："你也知道她在利用你？"

郭嵩阳又笑了，道："我当然知道，但我却一点也不在意，因为我也在利用她。只要她能给我愉快，我付出代价又有何妨？"

李寻欢慢慢地点了点头，道："这的确是很公平的交易，可是……你们的交易若是伤害到别人，你也不在意么？"

郭嵩阳道："会伤害到谁？"

李寻欢道："自然是爱她的人。"

郭嵩阳叹了口气，道："我有时真不懂，女人为什么总是要伤害爱她的人？"

李寻欢笑了笑，道："这也许是因为她只能伤害爱她的人，你若不爱她，怎么被她伤害？……你若不爱她，她无论做什么事，你根本都不会放在心上。"

郭嵩阳微笑道："你对女人好像了解得很多。"

李寻欢道："世上绝没有任何一个男人能真的了解女人，若有谁认为自己很了解女人，他吃的苦头一定比别人更大。"

郭嵩阳沉默了很久，才缓缓道："阿飞真的很爱她？"

李寻欢道："是。"

郭嵩阳道："我知道她是阿飞的朋友，也知道阿飞是你的朋友。"

李寻欢没有说话。

郭嵩阳道："但我却不认得阿飞，也从未见到过他。"

李寻欢道："你用不着解释，我并没有怪你。"

郭嵩阳又沉默了很久，才问道："阿飞现在还和她在一起么？"

李寻欢道："是。"

他长叹了一声，接着又道："他爱她虽比你深得多，但他和她的关系却远不及你亲密。"

郭嵩阳很诧异道："难道她并没有和他……"

李寻欢苦笑道：“无论谁都可以，就是他不可以。”

郭嵩阳道：“为什么？”

李寻欢道：“因为他尊敬她，从不愿勉强她，她是他心目中的圣女……她自然希望他永远保留这种印象。”

他苦笑着接道：“其实女人是生来被人爱的，而不是被人尊敬的，男人若对一个根本不值得尊敬的女人尊敬，换来的一定是痛苦和烦恼。”

郭嵩阳道：“如此说来，她的所作所为，阿飞一点也不知道？”

李寻欢道：“完全不知道。”

郭嵩阳道：“你为何不告诉他？”

李寻欢叹道：“我纵然告诉他，他也不会相信，一个男人若是爱上了一个女人，他的耳朵就会变聋了，眼睛也会变瞎了，明明很聪明的人也会变成呆子。”

郭嵩阳沉吟着，缓缓道：“你难道要我去告诉他？”

李寻欢黯然道：“他是个很有作为的青年，也是我的好朋友，我不忍心眼看他败在这种女人的手上。”

郭嵩阳默然无语。

李寻欢道：“我生平从未求人，但这一次……”

郭嵩阳突然打断了他的话，道：“可是……我说的话，他就会相信么？”

李寻欢道：“至少你和她的关系，她总不能完全否认的。”

郭嵩阳霍然长身而起，道：“好，我陪你去。”

李寻欢紧紧握住他的手，道：“我的确没有看错你，我相信你和阿飞也一定会变成很好的朋友。”

郭嵩阳长叹道：“好朋友只要有一个就已足够，他能交到一个像你这样的朋友，已可算是不虚此生了！”

木屋里竟没有人！

阿飞睡过的床，还铺在客厅里，厨房里还摆些昨夜吃剩下的茶，但炖汤的汤锅却已空了，而且也已洗得干干净净。

林仙儿的卧房里一切东西都还是老样子，被李寻欢闯破的门在风中微微摇晃着，不时发出“吱吱”的声响。

第四十一章

狡兔

阿飞屋子里的东西也没有移动过，他们什么东西都没有带走，甚至连那套衣服都还摆在床头。

但他们的人却已走了，显然走得很匆忙。

阿飞竟然又不辞而别，李寻欢简直不能相信，望着那扇被他撞破的门，他忽又弯下腰去剧烈地咳嗽起来。

郭嵩阳背负着双手，静静地望着他，等他咳完了，郭嵩阳才缓缓道：“你说阿飞是你的好朋友。”

李寻欢道：“是。”

郭嵩阳道：“但你却不知道他已走了。”

李寻欢默然半晌，勉强笑了笑，道：“也许，他遇着了什么意外，也许……”

郭嵩阳淡淡道：“也许是因为他比较听女人的话。”

他不让李寻欢反驳，立刻又接着问道：“他们已在这里住了很久？”

李寻欢道：“快两年了。”

郭嵩阳道：“但两年以前，她已约我在那小楼上见过面了，这地方说不定就是她的老窝。”

李寻欢苦笑道：“狡兔三窟，她的窝必定不止这一处。”

郭嵩阳叹了口气，道：“可惜我却只知道这一处。”

李寻欢没有说话，慢慢地走入林仙儿的屋子。

屋子里有一张床、一张橱、一张桌。

床帐是用淡青色的夏布缝成的，床上的被褥很零乱，好像有人睡过，但这当然只不过是做出来给阿飞看的。

橱子里的衣服并不多，而且都很朴素，桌上有个小小的妆匣，里面也并没有什么花粉。

这当然也只不过因为那小楼才是她更衣化妆的地方。

屋子里每样东西，李寻欢都看得很仔细，但这些都是很普通的东西，他又能看出什么来呢？

郭嵩阳道："我出来的时候，她留在楼上，现在她却已回来过，而且已经将阿飞带走了，我们在路上竟未发现她的踪迹……"

李寻欢沉声道："这只不过因为她走的是另外一条路。"

郭嵩阳道："另外一条路，这里四面环山，难道还有什么快捷方式？"

李寻欢道："快捷方式也许就在山腹里。"

他忽然揭起了床板。

床下果然有条密道……

山腹中空，密道穿过山腹。

李寻欢一走下来，就已知道出口在哪里了。

郭嵩阳道："依你看，这条路的出口是在什么地方？"

李寻欢道："那小楼上的床下。"

郭嵩阳道："我也是这么想……"

他冷冷笑了笑，冷冷接着道："下了这张床，就上那张床，她做事倒真不肯浪费时间。"

李寻欢淡淡道："她的约会很忙，时间自然宝贵得很。"

郭嵩阳面色变了变——他虽然也明知道这是怎么回事，但听到别人当面说出来，心里还是有些不舒服。

男人们常嘲笑女人们的气量小，其实男人自己的气量也未必就比女人大多少，而且远比女人自私得多。

他们就算有了一万个女人，却还是希望这一万个女人都只有他一个男人；他就算早已不喜欢那女人，却还是希望那女人永远只喜欢他。

密道自然不会太长。

密道的出口，果然就在那小楼上卧室中的床下。

这张床可比那张床漂亮多了，锦帐上流苏落英缤纷，床上的鹅毛被软得就像是云堆，教人一陷进去，就爬不出来。

林仙儿自然不会在，屋子里只有那穿红衣服的小姑娘。

她正坐在妆台旁很专心地绣着花，绣的是一面鸳鸯戏水的枕头，这正和屋子里的情调非常配合。

李寻欢他们突然走出来，她也并没有吃惊。

她像是早已算准他们会来了。

她只是用眼角瞟了他们一眼，嫣然道："原来你们是认得的。"

郭嵩阳沉着脸，厉声道："这里只剩下你一个人了？"

小姑娘嘟起嘴，道："你这么凶干什么？每次你来的时候，替你铺床的是我，替你叠被的也是我，你难道已忘了么？"

郭嵩阳说不出话来了。

小姑娘的大眼睛在李寻欢身上一转，道："你就是李探花？"

李寻欢道："是。"

小姑娘道："你真的就是那大名鼎鼎的小李探花李寻欢？"

李寻欢道："你不信？"

小姑娘叹了口气，道："我也不是不相信，只不过有些想不到而已。"

李寻欢道："想不到什么？"

小姑娘悠悠道："别人都说李寻欢不但武功最高，人也最精明，最能干，我实在没有想到你也会被人骗，上人的当。"

她眨着眼抿嘴一笑，道："上次我骗了你，真抱歉得很。"

李寻欢微笑道："没关系，偶尔被小孩子骗一次，也是件很开心的事，我自从被你骗过一次后，就觉得自己好像年轻多了。"

小姑娘眼睛盯着他，仿佛也渐渐觉得这人的确很有趣了——像李寻欢这样的人，本就不是常常能见得到的。

她嫣然笑道："我看你就算没有被我骗，本来也年轻得很，若是再被我骗几次，只怕就要变成小孩子了。"

李寻欢道："我以后一定会很小心……四十岁的小孩子，岂非要被人当作妖怪了么？"

小姑娘笑道："你只管放心，上次我骗了你，因为你还是个陌生人，奶奶从小就告诉我，千万不能对陌生人说老实话，否则也许就会被人拐走。”

李寻欢道：“现在呢？”

小姑娘正声道：“现在我们已认识，我自然不会再骗你。”

李寻欢道：“那么，我问你，你刚刚可曾看到有人从这里出来么？”

小姑娘道：“没有。”

她眨了眨眼睛，又道：“但我却看到有人从外面进来。”

李寻欢道：“是什么人？”

小姑娘道：“是个男人，我不认识他。”

她吃吃地笑着，接着道：“除了你之外，我认得的男人并不多。”

李寻欢只好装作没有听到这句话，问道：“他是来干什么的？”

小姑娘道：“那人长得很凶狠，一嘴大胡子，脸上还有个刀疤，一走进来就问我，认不认识李寻欢？李寻欢会不会来？”

李寻欢道：“你说什么？”

小姑娘道：“因为我不认得他，所以就故意骗他，说我认得你，你马上就会来的。”

李寻欢道：“那么他说什么？”

小姑娘眨着眼道：“他就交给我一封信，要我转交给你，还说一定要我交给你本人。”

李寻欢道：“你就收下了？”

小姑娘道：“我当然收下了……我若不收下，谎话岂非就要被揭穿了么？那人凶得很，若知道我在说谎，不打破我的头才怪。”

她嫣然一笑，接着道：“女孩子的头若被打破，一定疼得很，你说是不是？”

李寻欢也笑了道：“男孩子的头若被打破，也疼得很的。”

这小姑娘有种本事，她无论说什么话都完全像真的一样。

若是换了别人，一定会问她“送信的人到哪里去了？怎会将交给我的信送到这里？”

但李寻欢并没有问。

他也有种本事，那就是无论别人说什么，他都好像很相信，所以有很多人都常常以为自己已经骗过了他。

小姑娘果然取出了封信，信上果然写着李寻欢的名字，信是密封着的，这小姑娘居然没有偷看。

信上写的是：

寻欢先生足下，久慕英名，极盼一晤，十月初一当候教于此山谷中飞泉之下，足下君子，必不致令我失望。

下面的署名赫然竟是上官金虹！

这封信写得很简单，也很客气，但无论谁接到这封信，就算不立刻去准备后事，也要吓一跳。

上官金虹若向一个人挑战，那人还能活得长么？

李寻欢慢慢地叠起了信，放回信封，藏入怀里。

他脸上居然还在笑。

小姑娘一直在盯着他，此刻才忍不住问道："信上写的是什么？"

李寻欢笑道："没有什么。"

小姑娘道："瞧你笑得这么开心，这封信只怕是女人写给你的。"

李寻欢笑道："猜对了。"

小姑娘眼波流动，道："她是不是想约你见面？"

李寻欢道："又猜对了。"

小姑娘嘟起嘴，喃喃道："早知是女人写的信，我才不交给你哩。"

李寻欢笑道："你若不交给我，她一定会很伤心的。"

小姑娘狠狠瞪了他一眼，道："她是个怎么样的人？漂不漂亮？"

李寻欢道："当然漂亮，否则我早就将这封信甩到一边去了，女人长得丑，简直比男人生得笨还要可怕。"

小姑咬着嘴唇，道："她有多大年龄？"

李寻欢道："年纪也不大。"

小姑娘冷笑道："她至少比我大得多了吧？"

李寻欢笑道："幸好她比你大，否则我就只好收她做干女儿了。"

小姑娘用力将绣花针往布棚上一插，板着脸道："既然有这么一位漂亮的老太婆约你，你为什么还不赶快去见她，还待在这里干什么？"

李寻欢道：“做主人的，怎么可以赶客人走？”

小姑娘冷冷道：“我就算不赶你，你反正也是要走的。”

李寻欢道：“我若不走呢？”

小姑娘眼珠子一转，道：“你若不走，我这做主人的当然要想法子招待你。”

李寻欢道：“真的？”

小姑娘道：“当然是真的。我虽然不大方，可也不是小气鬼，你若要在这里待十天，我就招待你十天；你若要在这里待一辈子，我也……也不会赶你走的。”

说着说着，她的脸已红了起来。

小姑娘的脸若会红，那就表示她实在已不小了。

李寻欢道：“好，那么我就留在这里……”

他话还未说完，小姑娘已跳了起来，道：“你说的是真话？”

李寻欢笑道：“当然是真的，难得遇到你这么好的主人，我怎么会走呢？”

小姑娘展颜笑道：“我知道你喜欢喝酒，我这就去替你准备，这地方别的没有，酒却多得很……多得可以淹死你。”

李寻欢道：“除了酒之外，我还要几块木头，愈硬愈好。”

小姑娘愣了愣，道：“木头？要木头干什么？难道你要用木头来下酒？你的牙齿倒真不错。”

说着说着，她自己先笑了，银铃般笑道：“但你既然要木头，我就替你去拿木头来，无论你想要什么，就算想要天上的月亮，我也会去替你搬梯子的。”

郭嵩阳一直在注意李寻欢脸上的表情，此刻忽然道：“我不吃木头，我吃蛋，无论是鸡蛋、鸭蛋、皮蛋、咸蛋，只要是蛋就可以，愈多愈好。”

小姑娘的脸又板了起来，上上下下瞪了他两眼，道：“你也要留在这里？”

郭嵩阳淡淡道：“难得遇到你这么好的主人，我怎么肯走呢？”

小姑娘嘟着嘴走了出去，嘴里还在喃喃道：“这世上不识相的人倒真不少，什么事不好做，为什么偏偏要杀别人的风景呢……”

第四十二章

恶 毒

屋子很大，被单是新换的，洗得很白，浆得很挺，茶壶并没有缺口，茶杯也干净得很。

但屋里却冷清清的，总像是缺少了些什么。

林仙儿正坐在床头，在一件男人的衣服上缝纽扣，她用针显然没有用剑熟悉，时常会扎着自己的手。

阿飞站在窗口，望着窗外的夜色，也不知在想些什么。

林仙儿缝完了一粒扣子，抬起头来，轻轻地捶着腰，摇着头道："我实在不喜欢住客店，无论多么好的客店，房间也像是个笼子似的，我一走进去就觉得闷得慌。"

阿飞道："嗯。"

林仙儿道："我常听别人说，金窝银窝，也不如自己的狗窝，无论什么地方总不如自己家里舒服，你说是不是？"

阿飞道："嗯。"

林仙儿眼波流动，道："我把你从家里拉出来，你一定很不开心，是不是？"

阿飞道："没有。"

林仙儿叹了口气，道："我知道李寻欢是你的好朋友，也不是不愿意你跟他交朋友，但我们既然已决定忘记过去，从头做起，就不能不离开他——像他那种人，无论走到什么地方，都会有麻烦跟着他的。"

她柔声接着道："我们已发誓不再惹麻烦了，是不是？"

阿飞道："是。"

林仙儿道："何况，他做人虽然很够义气，但酒喝得太多，一个人酒若喝得太多，就难免有些毛病，毛病犯的时候，连自己都不知道。"

她又叹了口气，缓缓接着道："就因为这样，所以他才会撞破我的门，要对我……"

阿飞忽然转回头，瞪着她，一字字道："那件事你永远莫要再说了，好不好？"

林仙儿温柔地一笑，道："其实我早已原谅他了，因为他是你的朋友。"

阿飞目中露出了痛苦之色，垂下头，缓缓道："我没有朋友……我只有你。"

林仙儿站了起来，走过去拉住他的手，将他拉到自己身旁，轻轻抚摸着他的脸，柔声道："我也只有你。"

她踮起脚尖，将自己的脸贴在他脸上，低语着道："我只要有你就已足够了，什么都不想再要。"

阿飞张开手，紧紧地抱住了她。

林仙儿整个人都已贴在他身上，两人紧紧地拥抱着，过了半晌，她身子忽然轻轻地颤抖起来，道："你……你又在想了……"

阿飞闭上眼睛点了点头。

林仙儿道："其实我也想……我早就想将一切都给你了，可是我们现在还不能这么做。"

阿飞道："为什么？"

林仙儿道："因为我还不是你的妻子。"

阿飞道："我……我……"

林仙儿道："你为什么不肯光明正大地娶我，让别人都知道我是你的妻子，你为什么不敢？我以前做错的事，你难道还不能原谅我？你难道不是真心地爱我？"

阿飞面上的表情更痛苦，缓缓松开了手。

但林仙儿却将他抱得更紧，柔声道："无论你对我怎样，我还是爱你的，你知道我的心早已给了你……我心里只有你，再也没有别人。"

她的身子在他身上颤抖着，扭动着，摩擦着……

阿飞痛苦地呻吟了一声，两个人突然倒在床上。

林仙儿颤声道："你真的这么想……要不要我再替你用手……"

阿飞躺在床上，似已崩溃。

他心里充满了悔恨，也充满了痛苦。

他恨自己，他知道不该这么做，但他已无法自拔，有时他甚至想去死，却又舍不得离开她。

只要有一次轻轻的拥抱，他就可将所有的痛苦忍受。

林仙儿已站了起来，正在对着镜子梳头发，她脸上红红的，轻咬着嘴唇，一双水汪汪的眼睛里仿佛还带着春色。

“任何人都可以，只有阿飞不可以。”

林仙儿嘴角渐渐露出了一丝微笑，笑得的确美丽，却很残酷，她喜欢折磨男人，她觉得世上再也没有更愉快的享受。

就在这时，突然有人在用力地敲门。

一人大声道：“开门，快开门，我知道你在里面，我早就看见你了。”

阿飞霍然长身而起，厉声道：“什么人？”

话未说完，门已被撞开，一个人直闯了进来。

这人的年纪很轻，长得也不难看，全身都是酒气，一双满布血丝的眼睛，盯着林仙儿，似乎根本未见到屋里还有第三个人。

他指着林仙儿，咯咯笑道：“你虽然假装看不见我，我却看到你了，你还想走么？”

林仙儿脸上一丝表情也没有，冷冷道：“你是什么人？我不认得你！”

这少年大笑道：“你不认得我？你真的不认得我？你难道忘了那天的事？……好好好，我辛辛苦苦替你送了几十封信，你现在却不认得我了。”

他忽然扑过去，想抱住林仙儿，嘶声道：“但我却认得你，我死也忘不了你……”

林仙儿当然不会被他抱住，轻轻一闪身，就躲开了，惊呼道：“这人喝醉了，乱发酒疯。”

少年大喊道：“我没有喝醉，我清醒得很，我还记得你说的那些话，你说只要我替你把信送到，你就跟我好……”

他又想扑过去，但阿飞已挡住了他，厉声道：“滚出去！”

少年叫了起来，道：“你是什么人？凭什么要我滚出去！你想讨好她，告诉你，她随时随刻都会将你忘了的，就像忘了我一样。”

他突又大笑起来，吃吃笑道：“无论谁以为她真的对他好，就是呆子，呆子……她至少已跟过一百多个男人上床了。”

这句话未说完，阿飞的拳头已伸出。

只听“砰”的一声，少年已飞了出去，仰天跌在院子里。

阿飞铁青着脸，瞪着他，过了很久，他动都没有动，阿飞才缓缓转过身，面对着林仙儿。

林仙儿突然掩面痛哭起来，哭着道：“我究竟做错了什么？做错了什么……为什么这些人要来冤枉我，要来害我……”

阿飞长长叹了口气，轻轻搂住了她，柔声道：“只要有我在，你就用不着害怕。”

良久良久，林仙儿的哭声才低了下来，轻泣着道：“幸好我还有你，只要你了解我，别人无论对我怎样都没关系了。”

阿飞目中带着怒火，咬着牙道：“以后若有人敢再来欺负你，我决不饶他！”

林仙儿道：“无论什么人？”

阿飞道：“无论什么人都一样！”

林仙儿“嘤咛”一声，搂得他更紧。

但她的眼睛却在望着另一个人，目中非但完全没有悲痛之色，反而充满了笑意，笑得媚极了。

院子里也有个人正在望着她。

这人就站在倒下去的那少年身旁。

他的身材很高，很瘦，身上穿的衣服仿佛是金黄色的，长仅及膝，腰带上斜插着一柄剑。

院子里虽有灯光，却不明亮，只隐隐约约看出他脸上有三条刀疤，其中有一条特别深，特别长，正由他的发际直划到嘴角，使他看来仿佛总是带着种残酷而诡秘的笑意，令人不寒而栗。

但最可怕的，还是他的眼睛。

他的眼睛竟是死灰色的，既没有情感，也没有生命。

他冷冷地盯着林仙儿瞧了半晌，慢慢地点了点头，然后就转过身，向朝南的一排屋子走了过去。

又过了半晌，就有两个人跑来将院子里那少年抬走。这两人身上穿的衣服也是杏黄色的，行动都很敏捷，很矫健。

林仙儿的轻泣声这才完全停止了。

夜更深。

屋子里传出阿飞均匀的鼻息声，鼻息很重，他显然又睡得很沉了——林仙儿倒给他一杯茶之后，他就立刻睡着。

院子里静得很，只有风吹着梧桐，似在叹息。

然后，门开了。

只开了一线，一个人悄悄地走了出来，又悄悄地掩起门，悄悄地穿过院子，向朝南的那排屋子走了过去。

这排屋子还有一扇窗子，里面灯火是亮着的。

昏黄的灯光从窗子里照出来，照在她的脸上，照着她那双水汪汪的大眼睛，她眼睛迷人极了。

是林仙儿。

她已开始敲门。

只敲了一声，门里就传出一个低沉而嘶哑的声音，冷冷道：“门是开着的。”

林仙儿轻轻一推，门果然开了。

方才站在院子里的那个人，此刻正坐在门对面的一张椅子上，动也不动，就仿佛一尊自亘古以来就坐在那里的石像。

距离近了，林仙儿才看清他的眼睛。

他的眼睛几乎分不清眼球和眼白，完全是死灰色的。

他的瞳孔很大，所以当他看着你的时候，好像并没有在看你，他并没有看着你的时候，又好像在看你。

这双眼睛既不明亮，也不锐利，但却有种说不出的邪恶妖异之力，就连林仙儿看了心头都有些发冷，似乎一直冷到骨髓里。

但她脸上却还是带着动人的甜笑。

遇到的人愈可怕，她就笑得愈可爱，这是她用来对付男人的第一种武器，她已将这种武器使用得十分熟练，十分有效。

她嫣然笑道：“是荆先生吗？”

荆无命冷冷地盯着她，没有说话，也没有点头。

林仙儿笑得更甜，道："荆先生的大名，我早已听说过了。"

荆无命还是冷冷地盯着她，在他眼中，这位天下第一美人简直就和一块木头没什么两样。

林仙儿却还是没有失望，媚笑着又道："荆先生是什么时候来的？方才……"

荆无命突然打断了她的话，冷冷道："你在我面前说话时，最好记着一件事。"

林仙儿柔声道："只要荆先生说出来，我一定会记着的。"

荆无命道："我只发问，不回答，你明白吗？"

林仙儿道："我明白。"

荆无命道："但我问的话，一定要有回答，而且要回答得很清楚，很简单，我不喜欢听人废话……你明白吗？"

林仙儿道："我明白。"

她低垂着头，看来又温柔，又听话。

这正是她用来对付男人的第二种武器——她知道男人都喜欢听话的女人，也知道男人若是开始喜欢一个女人时，就会不知不觉听那女人的话了。

荆无命道："你就是林仙儿？"

林仙儿道："是。"

荆无命道："是你约我们在这里见面的？"

林仙儿道："是。"

荆无命道："你已替我们约好了李寻欢？"

林仙儿道："是。"

荆无命道："你为何要这样做？"

林仙儿道："我知道上官帮主一直在找李寻欢，因为李寻欢总喜欢挡别人的路。"

荆无命道："你是想帮我们的忙？"

林仙儿道："是。"

荆无命的瞳孔突然收缩了起来，目光突然变得像一根箭，厉声道："你为何要帮我们的忙？"

林仙儿道："因为我恨李寻欢，我想要他的命！"

荆无命道："你为何不自己动手杀他？"

林仙儿叹了口气，道："我杀不了他，在他面前时，我连想都不敢想，因为他一眼就能看穿别人的心事，一刀就能要别人的命！"

荆无命道："他真有那么厉害？"

林仙儿叹道："他实在比我说的还要可怕，想杀他的人都已死在他手上，除了荆先生和上官帮主外，世上绝没有别人能杀得死他！"

她抬起头，温柔地望着荆无命，柔声道："荆先生的剑法我虽未见过，也能想象得到。"

荆无命道："你凭什么能想象得到？"

林仙儿道："就凭荆先生这份沉着和冷静，我虽然不会用剑，却也知道高手相争时，剑法的变化和出手的快慢并不是最重要的，最重要的就是沉着和冷静。"

荆无命道："为什么？"

林仙儿道："因为剑法招式的变化，基本上并没有什么太大差异，武功练到某一种阶段后，出手的快慢也不会有太大分别，那时就要看谁比较冷静，谁比较沉着，谁能够找出对方的弱点，谁就是胜利者。"

她望着荆无命，目中充满了仰慕之色，接着道："当代的剑法名家，我也见得不少，若论冷静和沉着，绝没有任何一个人能比得上荆先生的。"

要恭维一个人，一定要恭维得既不肉麻，也不过分，而且正搔着对方的痒处，这样才算恭维得到家。

林仙儿恭维人的本事的确已到家了。

这正是她对付男人的第三种武器。

她知道男人都是喜欢被人恭维的，尤其是被女人恭维，要服侍一个男人的心，女人的一句恭维话往往比千军万马还有效。

荆无命面上却还是连一点表情也没有，冷冷道："你约的日子是十月初一？"

林仙儿道："是，因为我算准荆先生和上官帮主在那天一定可以赶到的。"

荆无命道："但你怎知李寻欢也一定会到呢？"

林仙儿道："我知道他一定会接到那封信，只要他接到那封信，就一定会去。”

荆无命道：“你有把握？”

林仙儿笑了笑，道：“他并不怕死，因为他反正也活不长了。”

她笑容忽又消失，柔声道：“就因为他已自知活不长了，所以才可怕，你武功虽然比他高，和他交手时也要小心些，这种人动起手来常常会不要命的。”

她目中充满了关怀和体贴，这正是她对付男人的第四种武器——你若要别人关心你，就得先要他知道你在关心他。

一个美丽的女人若能很适当地运用这四种武器——一百个男人中最少也有九十九个半要拜倒在她脚下。

只可惜林仙儿这次遇着的却偏偏是例外——她遇着的非但不是个男人，简直不是个人！

幸好她还有样最有效的武器。

那是她最后的武器，也是女人最原始的一种武器，女人有时能征服男人，就因为她们有这种武器。

但这种武器对荆无命是否也同样有效呢？

林仙儿迟疑着。

若非绝对有把握，她绝不肯将这种武器轻易使出来。

荆无命的瞳孔在渐渐扩散，渐渐又变成一片朦朦胧胧的死灰色，对世上任何事都仿佛不会有兴趣。

林仙儿暗中叹了口气，对这男人，她实在没有把握。

荆无命缓缓道：“你要说的话已说完了么？”

林仙儿道：“是。”

荆无命慢慢地站了起来，走到桌子旁，背对着她，慢慢地倒了杯茶，竟再也不看她一眼。

林仙儿只有苦笑道：“荆先生若没有别的吩咐，我就告辞了。”

荆无命还是不理她，自怀中取出粒药丸，就着茶水吞下。

林仙儿也看不出他在干什么，等了半天，荆无命还是没有回过头来，她也没法子再待下去，只有走。

但她还未走到门口，荆无命忽然道：“听说你很喜欢勾引男人，是不是？”

林仙儿怔住了。荆无命冷冷接着道："你一走进这间屋子，就在勾引我，是不是？"

林仙儿眼波流动，慢慢地垂下头，道："我喜欢能沉得住气的男人。"

荆无命霍然转过身，道："那么，你现在为何放弃了？"

林仙儿抬起头，才发现他的瞳孔突又缩小，正盯着她的身子，那眼神看来就好像她是完全赤裸着的。

她的脸似已红了，垂首道："你的心就像是铁打的，我……我不敢……"

荆无命缓缓道："但我的人却不是铁打的。"

林仙儿再抬起头，凝视着他，眼睛渐渐亮了起来。

荆无命道："你要勾引我，只有一种法子，最直接的法子。"

林仙儿红着脸道："你为什么不教我？"

荆无命慢慢地向她走了过来，冷冷道："这法子你还用得着我来教么？"

他忽然反手一掌，掴在她脸上。

林仙儿整个人都似已被打得飞了起来，倒在床上，轻轻地呻吟着，她的脸虽已因痛苦而扭曲，但目中却射出了狂热的火花……

荆无命缓缓转过身，走到床前。

林仙儿忽然跳起来，紧紧搂住了他，呻吟着道："你要打，就打吧，打死我也没关系，我情愿死在你手上……"

荆无命的手已又落下。

屋子里不断传出呻吟声，听来竟是愉快多于痛苦。

难道她喜欢被人折磨，被人鞭打？

林仙儿走出这屋子的时候，天已快亮了。

她看来是那么狼狈，那么疲倦，仿佛连腿都无法抬起，但她的神情却是说不出的满足、平静。

每次她燃起阿飞的火焰后，自己心里也燃起了一团火，所以她每次都要找一个人发泄，将这团火熄灭。

她喜欢被人折磨，也喜欢折磨别人。

晨雾已稀。

林仙儿仰面望着东方的曙色，喃喃道：“今天已是九月二十五了，还有五天……只有五天……”

她嘴角不禁露出一丝微笑。

“李寻欢你最多也不过只能再活五天了！”

第四十三章

生死之间

李寻欢在雕着木头。

那穿红衣服的小姑娘一直在旁边痴痴地瞧着他，忽然问道：“你究竟在雕什么？”

李寻欢笑了笑，道：“你看不出？”

小姑娘道：“我看你好像是想雕一个人的像，但为什么你每次都不完成它呢？也好让我看看你雕的这人漂不漂亮。”

李寻欢的笑容消失了，不停地咳嗽起来。

他就因为不愿被人看到他雕的是谁，所以每次都没有将雕像完成，虽然他也可以雕另外一个人的像，但他的手却已仿佛不听他的话，就算他雕的不是她，雕出来的轮廓也像是她。

因为他无法不想她。

窗外的天色已渐渐暗了。

小姑娘燃起了灯，忽然笑道：“今天你直到现在还没有喝酒？”

李寻欢道：“嗯。”

小姑娘道：“你不想喝酒？”

李寻欢淡淡笑道：“偶然清醒一天，也没什么不好？”

小姑娘眨着眼，笑道：“我看你还是喝些酒的好，一天不喝酒，你的手就在发抖。”

李寻欢的笑容又消失了，慢慢地抬起手，手里的刀锋在灯光下散发着淡淡的青光，光芒在闪动着。

“难道我的手真在发抖？”

李寻欢的心渐渐往下沉，他就怕有这么一天，不喝酒手就会抖，一只颤抖的手怎能发得出致人死命的飞刀？

他用力握着刀柄，指节都已因用力而发白。

但刀锋上的青光仍在不停地闪动着。

李寻欢突然觉得这只手比铅还重，连抬都抬不起了。

他慢慢地垂下手，望着窗外的天色，道："今天是什么日子？"

小姑娘道："九月三十了，明天就是初一。"

李寻欢缓缓闭起眼睛，过了半晌，又张开，道："郭先生呢？"

小姑娘道："他说他要到镇上去走走。"

她嫣然一笑，接着道："你若想喝酒，为什么一定要等他？我难道就不能陪你喝酒吗？"

李寻欢勉强笑了笑，道："你现在就开始喝酒，未免还太早了些。"

小姑娘笑道："既然迟早总是要喝的，还不如早些喝的好。"

李寻欢垂首望着自己手里的刀锋，忽然用力刻下了一刀。

他刻得很快，本已将变成的人像，很快就完成了，那清秀的轮廓，挺直的鼻子，看来还是那么年轻。

但人呢？人已老了。

人在忧愁中，总是老得特别快的。

李寻欢痴痴地望着这人像，目光再也舍不得移开，因为他知道从今后，已再也见不着她。

突听一人道："这人像好美，是谁呀？是你的情人？"

小姑娘已回来了，手里托着个盘子，不知何时已到了他身后。

李寻欢勉强笑了笑，将人像藏入衣袖，道："我也不知道她是谁，也许是天上的仙女吧……"

小姑娘眨着眼，摇着头道："你骗我，天上的仙女都很快活，她看来却是那么忧伤……"

李寻欢道："地上既然有许多快活的人，天上为什么不能有忧伤的仙子？"

小姑娘道："可是你却并不快活，因为你喜欢她，却得不到她，我猜得对不对？"

李寻欢的脸色变了，一颗心也沉了下去。

小姑娘笑道："你用不着再瞒我，看你的脸色，我就知道猜得不错。"

李寻欢苦笑道："那已是很久很久以前的事了。"

小姑娘道："既然是很久以前的事，你为何直到现在还忘不了她？"

李寻欢沉默了很久黯然道："等你活到我这样的年纪，你就会知道你最想忘记的人，也正是你最忘不了的……"

小姑娘慢慢地点了点头，慢慢地咀嚼着他这两句话中的滋味，似也有些痴了，连手里托着的盘子都忘记放下。

过了很久，她才幽幽地叹息了一声，道："别人都说你又冷酷，又无情，但你却不是那样的人呀。"

李寻欢道："你看我是个怎么样的人呢？"

小姑娘道："我看你既多愁，又善感，正是个不折不扣的多情种子，你若真的喜欢上一个女人，可真是那女人的福气。"

李寻欢笑了笑，道："这也许是因为我还未喝酒，我喝了酒后，就会变得麻木了。"

小姑娘也笑了笑，道："那么我还是赶快喝些酒吧，我也想变得麻木些，也免得苦恼。"

她忽然拿起盘子上的酒壶，将半壶酒喝了下去。

愈是年轻的人，酒喝得愈快，因为喝酒也需要勇气。

愈有勇气的人，醉得自然也愈快。

小姑娘的脸已红如桃花，忽然瞪着李寻欢道："我知道你叫李寻欢，你可知道我叫什么？"

李寻欢道："你没有说，我怎会知道！"

小姑娘道："你没有问我，我为何要说？"

她咬着嘴唇，慢慢地接着道："你不但没有问我的名字，也没有问我是什么人？怎会一个人留在这里？别的人到哪里去了？……你什么都不问，是不是觉得你已快死了，所以什么事都不想知道。"

李寻欢笑了笑，道："你醉了，女孩子喝醉了，最好赶快去睡觉。"

小姑娘道："你不想听，是不是，我偏要告诉你，我没有爹，也没有娘，所以也不知道自己姓什么，五年前小姐把我买下来了，所以我就姓林，小姐喜欢我叫'铃铃'，所以我就叫作林铃铃……"

她吃吃地笑着，接着道："林铃铃，你说这名字好不好？就像是个铃，别人摇一摇，我就‘铃铃’地响，别人不摇，我就不能响。”

李寻欢叹了口气，这才知道这小姑娘也有段辛酸的往事，并不如她表面看来那么开心。

“为什么我总是遇不着一个真正快乐的人呢？”

铃铃道：“你可知道我为什么一个人留在这里，告诉你也没关系，小姐叫我留在这里，就是要我看着你，每天想法子让你喝酒，让你的手发抖，她说只要你的手一开始发抖，你就活不长了。”

她瞪着李寻欢，像是在等着他发脾气。

但李寻欢却只是淡淡地一笑，道：“十年前就已有人说我快死了，但我却还是活到现在，你说奇怪不奇怪？”

铃铃瞪着眼，道：“我已告诉你，我是在害你，你为什么不骂我？”

李寻欢道：“我为什么要骂你，你只不过是个小铃铛而已。”

他长叹着接着道：“每个人活在世上，都难免要做别人的铃铛，你是别人的铃铛，我又何尝不是，那摇铃的人自己身上说不定也有根绳子被别人拎在手里。”

铃铃瞪着眼，瞧了他很久，突也长长地叹息了一声，道：“我现在才发觉你这人真不错，小姐为什么偏偏想要你死呢？”

李寻欢淡淡笑道：“一心想别人死的人，自己也迟早要死的。”

铃铃道：“但有些人死了，大家反而会觉得很开心，有些人死了，大家却都难免要流泪……”

她垂下头，幽幽地接着道：“你若死了，我说不定也会流泪的。”

李寻欢笑道：“因为我们已经是朋友了……至少我们已认识了许多天。”

铃铃摇头道：“那倒不见得，我认识那位郭先生比你久得多，他若死了，我就绝不会流一滴眼泪！”

她自己笑了笑，又补充着道：“因为我若死了，他也绝不会流泪。”

李寻欢道：“你认为他的心肠很硬？”

铃铃撇了撇嘴，道：“他也许根本就没有心肠。”

李寻欢道：“你若真的这么想，你就错了，有些人表面看来虽然很冷酷，其实却是个有血性、够义气的朋友，愈是不肯将真情流露出来的人，他的情感往往就愈真挚。”

他心中像是有很多感触，竟未发觉郭嵩阳站在门外已很久——他的确不是个很容易动情感的人。

此刻他还是静静地站在门后，面上连一点表情也没有。

阳光很早就照亮了大地。

李寻欢醒得更早，他几乎根本就没有睡着过。

天没亮的时候，他已用冷水洗了澡，将须发也洗干净了，换上了三天前他自己从镇上买来的一套青布衣服。

他的身材既不胖，也不瘦，所以虽然买的是套很粗糙的现成衣服，但穿在他身上却很合身。

现在，面对着窗外的阳光，他觉得精神好多了。

一个人身上若是干干净净的，精神自然会好得多的，他一定要使自己干净些，精神好些。

因为今天是个很特别的日子。

到了今天晚上，他说不定已不再活在这世上，但他活着时既然是干干净净的，死，也得干干净净地死。

今天这一战，他的胜算并不大，能活着的机会实在很少，但只要还有一分希望，他就绝不放弃。

他不怕死，却也不愿死在一双肮脏的手下。

阳光灿烂，枫叶嫣红，能活着毕竟不太坏呀。

他用一条青布带束起了头发，正准备刮脸。

突听一人道：“你的头脑还这么乱，怎么能去会佳人？我再替你梳梳吧。”

铃铃不知何时走了进来，眼睛红红的，似乎还宿醉未醒，又似乎昨夜曾经偷偷地哭过。

李寻欢微笑着点了点头，在窗前的木椅上坐下，阳光恰好照在他脸上，他觉得很刺眼，就将眼睑阖起。

然后，他突然间又想起了十余年前的往事。

那天，天气也正和今天同样晴朗，窗外的菊花开得正艳，他坐在小楼窗前，也有个人在替他梳头发。

直到现在，他似乎还能感觉到那双手的细心和温柔。

那天，他也是正准备动身远行了，所以她梳得特别慢。

她慢慢地梳着，似乎想留住他，多留一刻也是好的，梳到最后时，她眼泪就不禁滴落在他头发上。

就在那次远行回来时，他遇着了强敌，几乎丧命，多亏龙啸云救了他，这也是他永远忘不了的。

但他却忘了龙啸云虽救了他一次，却毁了他一生——有些人为什么永远只记得别人的好处？

李寻欢闭着眼睛，苦笑着："那天我走了后总算还回去了，今日我一去之后，还能活着回来吗？那一次我若就已一去不返，岂非还好得多？……"

他不愿再想下去，慢慢将眼睑张开一线，忽然感觉到现在正替他梳着头发的一双手，她梳得那么慢，那么温柔。

他不禁回过头，就发觉有一粒晶莹的泪珠也正从铃铃的脸上往下落，终于也滴落在他头发上。

同样温柔的手，同样晶莹的泪珠。

李寻欢仿佛又回到十余年前那阳光同样灿烂的早上，恍恍惚惚间已拉住了她的手，柔声道："你哭了？"

铃铃红了脸，扭转头，咬着嘴唇道："我知道你的约会就是今天，所以才会打扮得这么漂亮，是不是？"

李寻欢没有说话，因为他已发现这双手毕竟不是十年前的那双手，十年前的时光也永远回不来了。

铃铃幽幽地接着道："你就要去会你的佳人了，我心里当然难受。"

李寻欢缓缓放下了她的手，勉强笑了笑，道："你还是个孩子，难受究竟是什么滋味，你现在根本还不懂。"

铃铃道："我以前也许还不懂，现在却已懂了，昨天也许还不懂，今天却已懂了。"

李寻欢笑道："你一天之中就长大了么？"

铃铃道："当然，有人在一夜间就老得连头发都完全白了，这故事你难道没听说过？"

李寻欢道："他是为了自己的生死而忧虑，你是为了什么？"

铃铃垂下头，黯然道："我是为了你……你今天一去，还会回来么？"

李寻欢沉默了很久，才长长叹息了一声，道："你已知道我今天去会的是谁了？"

铃铃沉重地点了点头，将他的头发理成一束，用那条青布带扎了起来，一字字缓缓道："我知道你无论如何一定要去的，谁也留不住你。"

李寻欢柔声道："你长大后就会知道，有些事你非做不可，根本就没有选择的余地。"

铃铃道："但我若是你昨夜为她雕像的那个人，你就会为我留下来了，是么？"

李寻欢又沉默了很久，面上渐渐露出了痛苦之色，喃喃道："我并没有为她留下来……我从来没有为她做过任何事，我……"

他霍然长身而起，目光遥望窗外，道："时候已不早，我该走了……"

这句话未说完，郭嵩阳已走了进来，大声道："我刚回来，你就要走了么？"

他手里提着瓶酒，醉眼乜斜脚步也有些不稳，人还未走进屋子，已有一阵阵酒气扑鼻。

李寻欢笑道："原来郭兄昨夜竟在镇上与人作长夜之饮，为何也不来通知我一声？"

郭嵩阳大笑道："有时两个人对饮才好，多了一人就太挤了。"

他忽然压低语声，一只手搭着李寻欢肩头，悄悄道："小弟心情不好时喜欢做什么事，你总该知道的。"

李寻欢笑道："原来……"

他两个字刚说出，郭嵩阳的手已闪电般点了他七处穴道。

李寻欢的人已倒了下去。

铃铃大惊失色，赶过去扶住李寻欢，惊呼道："你这是干什么？"

在这一瞬间，郭嵩阳的酒意竟已完全清醒，一张脸立刻又变得如岩石般冷酷，沉着脸道："他醒来时你对他说，与上官金虹交手的机会，并不是时常都有的，这机会我绝不能错过！"

铃铃道：“你……你难道要替他去？”

郭嵩阳道：“我知道他绝不肯让我陪他去，我也不愿让他陪我去，这也正如喝酒一样，有时要两个人对饮才好，多一人就无趣了。”

铃铃怔了半晌，目中忽然流下泪来，黯然道：“他说得不错，原来你也是个好人。”

郭嵩阳冷冷道：“我无论是死是活，都不愿见到有人为我流泪，看到女人的眼泪我就恶心，你的眼泪还是留给别人吧！”

他霍然转过身，连头也不回，大步走了出去。

李寻欢虽然不能动，不能说话，却还是有知觉的，望着郭嵩阳走出门，他目中似已有热泪将夺眶而出。

也不知过了多久，铃铃才擦了擦眼泪，喃喃道：“一个人一生中若能交到一个可以生死与共的义气朋友，那当真比任何东西都要珍贵得多。”

她俯首凝视李寻欢，过了半晌，黯然接着道：“你当然也为他做过许多事，所以他才肯……才肯为你这么做。”

李寻欢闭起眼睛，心里真是说不出的难受，他忽然发觉人与人之间的情感，有时实在很难了解。

他的确为很多人做过许多事，那些人有的已背弃了他，有的已遗忘了，有的甚至出卖过他。

他并没有为郭嵩阳做过什么，但郭嵩阳却不惜为他去死。

这就是真正的“友情”。

这种友情既不能收买，也不是可以交换得到的，也许就因为世间还有这种友情存在，所以人类的光辉才能永存。

屋子里骤然暗了起来。

铃铃已掩起门，关好了窗子，静静地坐在李寻欢身旁，温柔地望着他，什么话也不再说。

四下静得甚至可以听到铜壶中沙漏的声音。

现在是什么时候了？

郭嵩阳是不是已开始和上官金虹、荆无命他们作生死之斗？

“他的生死也许只是呼吸间的事，但我却反而安安静静地躺在这里，什么事也不能为他做。”

想到这里，李寻欢的心好似已将裂开。

突然间，楼梯上响起了一阵脚步声。

脚步声很轻，很慢，但李寻欢一听就知道有两个人同时走上来，而且这两人的武功都不弱。

接着，外面就传入了敲门声：“笃、笃笃！”

铃铃骤然紧张了起来。

来的会是什么人？

是不是郭嵩阳已遭了他们的毒手，他们现在又来找李寻欢？

“笃、笃笃！”

这次敲门的声音更响。

铃铃面上已沁出了冷汗，忽然抱起李寻欢，四下张望着，似乎想找个地方将李寻欢藏起来。

“笃、笃笃！笃、笃笃……”

敲门声不停地响了起来，外面的人显然很焦急，若是再不去开门，他们也许就要破门而入。

铃铃咬着嘴唇，大声道：“来了，急什么？总要等人家穿好衣服才能开门呀！”

她一面说话，一面已用脚尖挑开了衣橱的门，将李寻欢藏了进去，又抓了些衣服堆在李寻欢身上。

李寻欢虽然从不愿逃避躲藏，怎奈他现在连一根小指头都动不了，也只有任凭铃铃摆布。

只见铃铃对着衣橱上的铜镜整了整衫，理了理头发，又擦干了额角和鼻子上的冷汗。

忽然她就将衣橱的门紧紧关上，“咯”的一声上了锁。

她嘴里喃喃自语道：“好容易偷空睡个午觉，偏偏又有人来，我这人怎地如此命苦。”

声音渐渐远了，然后李寻欢就听到开门的声音。

门开了，声音却反而突然停顿，铃铃似乎是在吃惊发怔，门外来的显然是两个她从未见过的人。

来的是不是上官金虹与荆无命？

门外的人也没有先开口，过了半晌，才听得铃铃道：“两位要找谁呀？莫非是找错地方了么？”

门外的人还是没有开口。

只听“砰”的一声，铃铃似乎被他们推得撞到门上，然后就可以听出有两个人的脚步声走了进来。

第四十四章

两世为人

衣橱里又暗又闷，若是换了别人在李寻欢这种情况下被关在衣橱里，只怕要紧张得发疯。

来的人显然不怀好意，否则怎会对铃铃如此粗鲁。

但李寻欢这时反而平静了下来。

遇着这种无可奈何的事，他总会先想法子使自己保持冷静，因为他知道自己纵然急疯了也没有用。

这时铃铃已叫了起来，道："你们这是什么意思？难道是土匪么？"

李寻欢心里几乎想发笑。

他想起自己那天来的时候，铃铃也将他当作强盗，这小姑娘别的本事没学会，装腔说谎的本事倒已真学得和林仙儿差不多了。

但来的这两人却完全不睬她，在外面两间屋子里走了一圈，似乎在四下搜寻着，然后就走了进来。

铃铃也冲了进来，大声道："这是我们家小姐的闺房，你们怎么可以随便往里面闯？"

到了这时，来的这两人才终于开口了。

一人道："我们正是来找你们家小姐的。"

这声音竟然很温柔，很好听，而且说话时还似带着笑意。

来的竟是女人！

李寻欢不禁也觉得很意外，他也想不到居然会有女人到这里来，这就难怪铃铃看到她们时会吃惊发怔了。

只听铃铃道："你们是来找我家小姐的？你们认得她？"

那女子道："当然认得……不但认得，而且还是好朋友。"

铃铃笑了，道："既然如此，两位为何不早说，害得我还将两位当土匪哩。"

那女子也笑了，道："我们的样子看来难道很像土匪？"

铃铃道："两位这就不知道了，现在的土匪已经跟以前不一样了，有的简直比两位还要斯文，还要漂亮，谁也看不出他的身份来。"

这小姑娘当真是个鬼灵精，骂起人来一个脏字也不带。

那女子还未说话，已听到另外一个女子的声音道："你家小姐到哪里去了？请她出来好么？"

这声音很低，说话的人嗓子似有些嘶哑，但也很好听，李寻欢觉得这声音仿佛很熟悉，却想不起她是谁了。

铃铃笑道："两位来得真不巧，小姐前几天就出门了，只留我一个人在这里看家，两位有什么事，告诉我也是一样。"

那女子道："她什么时候回来？"

铃铃道："不知道……小姐没有说，我怎么敢问？"

另一个女子突然冷笑了一声，道："我们一来，她就出门了，我们不来，她天天都在这里，难道她知道我们要来，就躲起来不敢见人么？"

这话说得很不客气，果然像是来找麻烦的。

难道她们是知道自己的丈夫时常到这里来和林仙儿幽会，所以特地赶来捉奸的么？

铃铃还是在笑，道："两位既是小姐的朋友，她要知道两位到了，欢喜还来不及，怎么会躲起来呢？"

那女子笑道："有些人什么人都敢见，就是不敢见朋友，你说奇怪不奇怪？"

另一个女子冷冷道："这也许是因为她对不起朋友的事做得太多了。"

铃铃笑道："两位真会说笑话，这地方这么小，一个大人就算要躲起来，也没地方躲呀。"

那女子道："哦，是么……这地方我虽然不熟，但我若要躲起来，倒说不定可以找得到地方。"

铃铃道："那么姑娘除非躲到这衣橱里。"

她吃吃地笑着，接着道："但一个人若躲在衣橱里，岂非闷也要被闷死了，那滋味一定不好受。"

那女人也笑了，道："不错，你们家小姐金枝玉叶，自然不肯躲到衣橱里去的……"

两人都笑得很开心，仿佛都觉得这件事滑稽得很。

笑了很久，那女子才接着道："只不过，你家小姐既然不肯躲到衣橱里，现在衣橱里这人是谁呢？"

铃铃道："谁？……衣橱里有人？怎么连我都不知道？"

那女子道："衣橱里若没有人，你为什么一直挡在前面呢？难道怕我们偷你们小姐的衣服吗？"

铃铃道："没有呀？……我哪里挡在前面……"

那女子柔声道："小妹妹，你虽然很聪明，很会说话，只可惜年纪还是太小了些，要想骗过我们这两个老狐狸，恐怕还要再等几年。"

李寻欢虽然看不到铃铃的脸，但也可想见铃铃此刻面上的表情一定难看得很，他自己心里当然也并不好受。

一个大男人，被人发现躲在衣橱里，那实在不是件很愉快的事，他想不出这两个女子会将他看成怎么样一个人。

他也猜不出她们究竟是怎么样的人。

这女子轻言细语，脾气仿佛温柔极了，但每句话说出来，话里都带着刺，显见必定是个极深沉，又厉害的角色。

另一个女子话虽说得不多，但一开口就是在找麻烦，似乎对林仙儿很不满，一心想来找林仙儿算账的。

听她们的脚步声，武功都不弱，并不在林仙儿之下。

李寻欢只希望此刻躲在衣橱里的真是林仙儿，也好让这两人教训教训她，她对付男人虽很有办法，但对付女人的本事就不会有那么大了。

怎奈此刻躲在衣橱里的偏偏不是林仙儿，而是李寻欢自己，老天竟偏偏要他来做林仙儿的替死鬼。

只听铃铃一声轻呼，衣橱的门已被拉开了。

李寻欢闭上眼睛，只希望这两个女子千万莫要认识他。

那女子显然也未想到衣橱里躲着的是个男人，也怔住了。

怔了半晌，才听她吃吃笑道："小妹妹，这人是谁呀，睡着了么？”

铃铃道：“他……他是我表哥。”

那女子笑道：“有趣有趣，有趣极了，我小的时候也常常将我的情人藏在衣橱里，有一次被人发现了，我也说他是我的表哥。”

她接着又道：“为什么天下的女孩子都喜欢说自己的情人是表哥呢，难道就不能换个新花样说说么？”

铃铃道：“这还是我第一次……下次我就知道换花样了。”

那女子笑道：“这位小妹妹倒真是‘年轻有为’，看样子连我们都比她差多了，这才真叫作后生可畏。”

另一个女子沉默了很久，才缓缓道：“林仙儿既然不在这里，我们走吧。”

那女子道：“急什么？我们既然来了，多坐坐又何妨？”

衣橱的门一开，李寻欢就闻到一股很诱人的香气，现在这香气更近了，那女子好像已走到他面前。

过了半晌，她又笑着道：“小妹妹，你年纪虽小，选择男人的眼光倒真不错。”

铃铃居然也在笑，道：“这地方的男人不多，好的都被小姐挑走了，我也只好将就些。”

那女子道：“这样的男人你还不满意么？你看他既不胖，也不瘦，脸长得也不讨人厌，而且看样子对女人很有经验。”

铃铃笑道：“他别的倒也还不错，就是太喜欢睡觉，一睡着就不醒。”

那女子吃吃笑道：“这也许是因为他太累了……遇着你这样的小狐狸精，他怎么会不累？”

铃铃道：“他年纪也太大了些。”

那女人道：“嗯，不错，他配你的确嫌太大了些，配我倒刚好。”

银铃般地笑着接道：“小妹妹，你若不中意，就把他让给我吧，过两天，我一定找个年轻的来陪你。”

这女子本来还好像蛮文静、蛮温柔的，但一见了男人，就完全变了，嘴里说着话，居然已将李寻欢抱了起来。

到了这里，李寻欢想不张开眼睛也不行了。

一张开眼，他又吓了一跳。

抱着他的这个女子年纪并不太大，最多也不过只有二十五六，长得也的确不难看，白生生的皮肤，水汪汪的眼睛，一张菱角小嘴，笑起来一边一个笑涡，若将她一个人分成三个，当真是个美人。

只可惜她下巴有三个，腰像水桶，身上的肉比普通三个人加起来还多，李寻欢被她抱在怀里，简直就好像睡在一堆棉花上。

他再也想不到说话那么温柔，笑声那么好听的一个女子，竟肥得如此可怕，简直肥得不像话了。

各式各样的女人他都见过不少，但像这么肥的女人，他真还从未见过，一个男人被这种女人抱着，还不如去跳河的好。

更令李寻欢吃惊的，还是另一个女子。

这女子很美，也很媚，水蛇般的细腰，穿着一套很合身的蓝衣服，衣袖却很宽，就算站着不动，也有种飘飘欲仙之态。

这女人赫然竟是被李寻欢折断一只手腕的蓝蝎子！

李寻欢暗中叹了口气，知道今天要倒霉了。

奇怪的是，蓝蝎子居然似乎已不认得他，脸上一点特别的表情也没有，甚至连看都没有多看他一眼。

那肥女人还在笑着，笑得全身的肉都在发抖。她一笑起来，李寻欢就觉得好像在地震一样。

铃铃已有些发慌了，道："这人脏得很，常常几个月不洗澡，姑娘千万不要抱他，他身子不但有跳蚤还有臭虫。"

那胖女人道："脏？谁说他脏？何况他身上就算有臭虫也没关系，男人身上的臭虫，一定也有男人的味道。"她娇笑着又道："只要有男人味道的东西，我都喜欢。"

铃铃道："可是……可是他非但又脏又懒，而且还是个酒鬼。"

那胖女人道："酒鬼更好，酒量好的男人，才有男子汉气概。"

她忽然像是已开心得忍不住了，竟伸手去摸了摸李寻欢的脸，吃吃地笑着，接着又道："你若喜欢喝酒，我就陪你喝酒，有些事喝了酒之后再做更有趣。"

铃铃实在笑不出了，忍不住道："有种男人，平时道貌岸然，一本正经，但一见到女人，骨头就轻了，这种男人别人都叫他色鬼，却不知道这种女人该叫作什么呢？”

那胖女人也不生气，笑嘻嘻道：“这种女人也叫作色鬼，我正是不折不扣的一个女色鬼，只要见到好看的男人，就没法子不动心。”

铃铃冷笑道：“却不知男人见了你会不会动心？”

那胖女人道：“我虽然胖了些，但懂事的男人都知道，胖女人不但温柔体贴，冬暖夏凉，而且还有种好处。”

她眼睛瞟着李寻欢嫣然一笑，轻轻地接着道：“好处在哪里，你马上就会知道了。”

铃铃突又笑了起来，笑得弯下了腰。

那胖女人瞪眼道：“你笑什么？”

铃铃道：“我笑你真是色胆包天，连他的脑筋你都敢动。”

那胖女人道：“我为什么不能动他的脑筋？”

铃铃道：“你可知道他是谁么？”

那胖女人道：“你可知道我是谁么？”

铃铃道：“你总不是他的表妹吧？”

那胖女人道：“你可听说过大欢喜女菩萨这名字？我就是女菩萨座下的至尊宝，只要是男人我就统吃。”

铃铃道：“你若敢吃他，小心吃下去梗着喉咙，吐不出来。”

至尊宝道：“我吃人从来也不吐骨头的。”

她已板起了脸，接着又道：“小妹妹，我劝你还是闭上嘴巴，要不是因为我办事前从不愿杀人，免得杀风景，你现在早就连眼睛都闭上了。”

铃铃眨了眨眼，道：“你难道就不想知道他是谁么？”

至尊宝道：“我若想知道，我自己会问他，用不着你操心，何况……我只要他是个男人就够了。”

她转过头向蓝蝎子一笑，道：“拜托你，帮帮我的忙，把这小丫头弄出去，这地方还不错，我想暂时借用一下，你可不准看。”

李寻欢全身的肉都麻了，想吐也吐不出，想死也死不了，只希望蓝蝎子来找他报仇，快些给他一刀。

怎奈蓝蝎子却像是完全不认得他了，一直冷冷地站在那里，连看都不看他一眼，此刻忽然一字字道：“这男人我也要。”

至尊宝的面色骤然变了，大声道："什么？你说什么？"

蓝蝎子面无表情，还是一字字缓缓道："这男人我也要！"

至尊宝瞪他，眼睛里露出了凶光，厉声道："你敢跟我抢？"

蓝蝎子冷冷地瞪着她，道："抢定了。"

至尊宝脸上一阵青，一阵白，忽又笑道："你若真想要他，我们姐妹俩的事总好商量。"

蓝蝎子冷冷道："我不是要他的人，我是要他的命！"

至尊宝展颜笑道："这就更好办了，等我要过他的人，你再要他的命也不迟呀。"

蓝蝎子道："等我要过他的命，你再要他的人吧。"

至尊宝目中虽已又有了怒意，还是勉强笑道："我虽然很喜欢男人，但对死人却没什么兴趣。"

蓝蝎子道："他现在岂非和死人差不多。"

至尊宝笑道："他现在不能动，只不过是因为被人点了穴道，我自然有法子要他动的。"

蓝蝎子冷冷道："等他能动的时候，我再想要他的命就已迟了。"

铃铃悠然笑道："不错，等他能动的时候，只要他的手一动，你们就再见了！"

至尊宝动容道："你说他是谁？"

铃铃道："他就是小李飞刀！"

至尊宝呆住了，呆了半晌，才慢慢地摇着头道："我不信，他若真是李寻欢，怎会看上你这么样一个小丫头。"

铃铃道："他并没有看上我，是我看上了他，所以才希望你们快杀了他。"

至尊宝道："为什么？"

铃铃道："我家小姐常告诉我，你若看上一个男人，他却看不上你，那么你就宁可要了他的命，也不能让他落到别的女人手上。"

至尊宝叹了口气道："想不到这小丫头的心肠竟比我还毒辣。"

铃铃道："难道你还想要他的人么？你真有这么大的胆子？"

至尊宝沉吟着，缓缓道："牡丹花下死，做鬼也风流。能和李寻欢这样的名男人做一夜夫妻，就算死也不冤枉了。"

她又向蓝蝎子一笑，接着道：“但你也不必着急，我要过他的人之后，还是有法子再让你要他的命。”

蓝蝎子沉着脸不说话。

至尊宝道：“你莫忘了，我这次来，是为了要帮你的忙，你好歹也得给我个面子。”

蓝蝎子默然半晌，道：“男人的手若被砍断了，你还有兴趣么？”

至尊宝笑道：“手断了倒没有什么关系，只要别的地方不断就行了。”

蓝蝎子道：“那么我就要他一只手！”

至尊宝想了想，道：“左手还是右手？”

蓝蝎子恨恨道：“他折断了我的右手，我也要他的一只右手！”

至尊宝叹了口气，道：“好，你来吧……但切莫弄得鲜血淋漓的，叫人恶心，用你那根蝎子尾巴随便在他手上蜇一下就算了吧。”

蓝蝎子道：“好，就这么办。”

她慢慢地走了过来，眼睛闪着光。

铃铃大声说：“你们真敢这么样对他？”

至尊宝柔声道：“小妹妹，难道你又心疼了么？”

她话未说完。

蓝蝎子衣袖中已飞出一道青蓝色的电光，闪电般向李寻欢右臂刺下——

只听一声惨呼，历久不绝。

李寻欢的人，“砰”地跌在地上。

谁也想不到这声惨呼竟是至尊宝发出的。

惨呼声中，她已抛下了李寻欢，疯狂地向蓝蝎子冲了过去。

蓝蝎子腰肢一扭，滑开了七八尺。

谁知至尊宝的腰虽比水桶还粗，动作反应却奇快无比，骤然一翻身，已抓住了蓝蝎子的手。

蓝蝎子的脸都吓白了。

至尊宝一张脸已变成青蓝色，变得说不出的狰狞可怖，双睛怒凸，瞪着蓝蝎子，咬牙道：“你……你好大的胆子，敢暗算我，我要你的命！”

只听咔嚓一声，蓝蝎子的一只手已被她连着衣袖拧了下来。

蓝蝎子又滑开数尺，脸上竟连半点痛苦之色都没有。

至尊宝拧断的还是她一只右手。

蓝蝎子已忽然大笑起来，咯咯笑道："你再看看你手里抓的是什么？"

至尊宝一抬手，只见裹在半截衣袖中的只不过是一段闪着青光的"蝎子尾巴"，原来蓝蝎子右手被李寻欢折断后，就将自己的兵器接在断腕上，用她那宽大的衣袖遮住谁也看不出。

蓝蝎子道："中了我蝎尾之毒，走不出七步必死无疑，就算你身子比别人大些，毒性发作慢些，你能再走三步还不倒下，我佩服你。"

至尊宝狂吼一声，又冲出来。

她果然还未冲出三步，就已倒下。

蓝蝎子再也不看她一眼，转身走到李寻欢面前，垂着头，冷冷地望着他，过了半晌，才缓缓道："伊哭就是为了去找林仙儿才会死的，我到这里来，本是为了要找林仙儿算账，和你本无关系。"

铃铃又插嘴道："你若想他说话，为什么不解开他的穴道？"

蓝蝎子根本不理她，接着又道："你虽然废了我的一只手，却未要我的命，总算对我有恩，我这人一生恩怨最分明，你对我有滴水之恩，我就不能眼看着你被那猪糟蹋。"

李寻欢暗中叹息了一声，他实未看出蓝蝎子竟是这么样一个人。

蓝蝎子冷冷道："现在我既已还了你的债，你欠我的自然也非还不可，我也只要你一只右手，这总不算过分吧？"

李寻欢忽然笑了笑，慢慢地将右手伸了出来。

蓝蝎子呆住了，铃铃也呆住了。

李寻欢的手竟已能活动，竟未发出他的小李飞刀！

蓝蝎子望着这只手，哪里还能说得出话来。

铃铃却已忍不住道："你……你这只手怎么忽然能动了？"

李寻欢苦笑道："我本就在运气解穴，只可惜功夫不到家，一直无法冲破最后一关，谁知方才那一跌，却帮了我的忙。"

铃铃道："那么你为何还如此听话，她要你这只手，你就乖乖地伸出来给她，你……为何不给她一刀？"

李寻欢沉下了脸，也不理她了，缓缓道：“蓝姑娘，你要的实不过分，我也毫无怨言，请。”

蓝蝎子又沉默了很久，才长长叹息了一声，喃喃道：“世上竟真有这样的人……世上竟真有这样的人……”

她将这句话一连说了两遍，突然跺了跺脚，掉头就走。

但李寻欢不知何时已跃起，挡住了她的去路，道：“请等一等。”

第四十五章

千钧一发

蓝蝎子凄然一笑，道："还等什么，从你伸出手的那一瞬间，你就已将你的债还清了，我虽是个女人，却也还懂得'道义'两字。"

铃铃眨着眼，突又插嘴道："女人天生就可以不讲道义，这本是女人的权利，男人天生比女人强，所以本该让女人几分。"

蓝蝎子道："这话是谁说的？"

铃铃道："当然是我们家小姐说的。"

蓝蝎子道："你很听她的话？"

铃铃道："她是在为我们女人说话，只要是女人，就该听她的。"

蓝蝎子忽然走过去，正正反反给了她十几个耳光。

铃铃被打得呆住了。

蓝蝎子冷冷道："我也和你们一样，并不是好人，但我却要打你，你可知道为了什么？"

铃铃咬着牙，道："因为你……你是个……"

话未说完，忽然掩着脸哭了起来。

蓝蝎子道："就因为世上有了你们这种女人，所以女人才会被男人看不起，就因为男人看不起女人，所以我才要报复，才会做出那些事。"

她声音渐渐低了下来，似已有些哽咽，缓缓接着道："我做那些事的时候，心里也知道，那不但是在毁别人，也是在毁我自己，我这一生，就是被我自己这样毁了的。"

李寻欢柔声道："过去的事已过去了，你还年轻，还可以从头做起。"

蓝蝎子长长叹息了一声，黯然道："也许你是这么想，但别人呢……别人呢……”

李寻欢道：“只要自己问心无愧，何必去管别人怎么想，一个人是为了自己活着，并不是为了别人。”

蓝蝎子抬起头，凝视着他，一字字道：“你是完全为自己活着的吗？”

李寻欢道：“我……”

蓝蝎子还是在凝视着他，嘴角露出一丝凄凉的微笑，喃喃道：“能认识你这样的人，任何人都不会后悔的，只可惜我为何没有在十年前认识你呢？……”

这句话她并没有说完，已掠了出去。

只听她声音远远传来，道：“将至尊宝的尸身留着，我会来安排她的后事，我做的事，一向用不着别人替我操心……”说到最后一字，人已远去。

铃铃本来还在轻轻啜泣着，此刻忽然抬起头来，冷笑道：“明明是自己做错了事，却偏偏要怨别人，自己明明不是个好东西，却偏偏还要逞英雄，充好汉，这种人我见了最恶心，恶心得要命。”

李寻欢叹了口气，道：“其实她倒并不是你想象中的那种人。”

铃铃撇了撇嘴，道：“她做的那些事，你以为我不知道。”

李寻欢缓缓道：“无论她做过什么事，但她的本性还是善良的，一个人只要本性善良，就还有救药。”

铃铃眼圈又红了，咬着嘴唇道：“你一定认为我的本性很坏，已无可救药了，是不是？”

李寻欢笑了笑，柔声道：“你还是个孩子，还不懂什么是善，什么是恶，什么是对，什么是错，只要有个人能好好地教教你，还来得及。”

铃铃眨了眨眼睛，道：“你肯教我么？”

李寻欢道：“只要有机会，以后……”

铃铃道：“以后？为什么要等到以后，现在……”

李寻欢道：“你知道我现在一定要去找郭嵩阳，只要我还能回来……”

铃铃又打断了他的话，道：“我知道，你这一去就永远也不会再回到这里来的了，我只不过是个小孩子，像你这样的大人物，怎么会为了我回来？”

她揉了揉眼睛，接着又道：“何况，我本不是你的什么人，我将来是好是坏，你根本就不会关心；我将来就算变得比蓝蝎子还坏十倍，也和你没关系；我就算被人杀死在路上，你也不会来替我收尸。”

她愈说愈伤心，说着说着，眼泪像断线珍珠般落了下来，好像她以后若不能学好，就完全是李寻欢害的。

在这么一个小姑娘面前，又有谁的心肠能硬得下来？

李寻欢只有苦笑道：“我一定会回来看你的……”

铃铃用手掩着脸，道：“像你这样的忙人，等你想到我，再回来的时候，我说不定早已死了，早已变成了又丑又坏的老太婆。”

李寻欢道：“我很快就会回来……”

他这句话还未说完，铃铃已不哭了，道：“真的很快？你说什么时候？我等你。”

李寻欢苦笑道：“只要我还活着，等见到郭嵩阳后，我一定先回来看你一次。”

铃铃已跳了起来，破涕为笑，跳起来抱住李寻欢的脖子，道：“你真是个好人，为了你，我一定也要做个好人，可是你千万不能骗我，否则我就绝不会学好的。”

李寻欢心上的负担本来已够重的了，现在却又重了许多。

铃铃这一生是好是坏，现在竟似已变成了他的责任，连推也推不掉了，连他自己都不知道怎会将这烫山芋接到手里的。

他只有苦笑。

他这一生中，接到的烫山芋的确太多了。

他实在不知道该如何安排这小姑娘，也没有空来为这件事烦恼，现在他心里只有一件事。

他只希望郭嵩阳还没有遇到荆无命和上官金虹。

他只希望自己现在赶去还不太迟。

现在的确还不太迟。

秋日仍未落到山后，泉水在阳光里闪烁如金。

金黄色的泉水中，忽然飘来一片枫叶，接着是两片、三片、七片、八片……无数片。

枫叶红如血，泉水似也被染血了。

秋尚未残，枫叶怎会凋落?

“难道这些枫叶会是被荆无命和郭嵩阳的剑气摧落的么？”

李寻欢的心情更沉重，因为他已从这些落叶中看出了两件事。

郭嵩阳和荆无命、上官金虹的决战必已开始。

这一场决战必定是惊心动魄，惨烈无比。

郭嵩阳必已陷入苦斗之中，是以枫林才会被他们的剑气摧残得如此之剧，由此可见，他至少已支持了很久。

他是否还能支持下去呢?

李寻欢恨不能肋生双翼，立刻飞到那里。

枫林中落红满地。

满山红叶竟已被剑气摧落十之六七。天地肃杀，落叶在秋风中卷舞，看来就宛如满天血云。

但除了风卷落叶外，四下就再也听不到别的声音。

恶战莫非已结束?

战胜的是谁?

枫林中寂无人影，秋风纵能语，却也无法说出李寻欢想知道的消息，只有流水的呜咽，仿佛在为战败的人悲惜。

郭嵩阳若已战死，他的尸身在哪里?

泉水中的落叶渐远，渐疏。

李寻欢俯首站在泉水旁，又弯下腰去不停地咳嗽起来。

秋日终于已没入山后，他忽然发现这本来极清澈的泉水，此刻竟带着一丝淡淡的红色。

是不是战败者的鲜血将流水染红的?

李寻欢抬起头，大步向泉水尽头处走了过去，只见一缕飞泉，自山巅倒挂而下，一泻百丈，矫若神龙。

在这百丈飞泉中，竟孤零零地挂着一个人。

这人就挂在离地面两三丈处，泉水一泻数十丈，到了这里，水力最猛，却也未能将这人冲下来。

这人穿的仿佛是件黑色的衣服，衣服已被泉水冲得七零八落，一片片黑色的碎布，随着水花四下飞激。

但这人还是直挺挺地挂在那里，动也不动。

李寻欢失声道："郭嵩阳……郭兄……"

他身形已随着呼声飞掠而起，只觉眼前水雾迷蒙，寒气袭人，接着，他又觉得一股源源不尽，势不可挡的大力冲激而来！

他的人却已钻入了飞泉，拉住那人的手。

李寻欢没有看错，挂在飞泉中的这人的确是郭嵩阳。

他全身冰冰凉凉，已全无丝毫暖意，但他的一只手却还是紧紧地握着剑柄，死也不肯放松。

他那柄名动天下的嵩阳铁剑，已齐柄没入了山石中，显见他是在临死之前，拼尽最后一分力气，将这柄剑插入山石，将自己的人挂上去。

他这样做是为了什么？

李寻欢刚将他的尸身解下，平放在泉水旁的石头上，就听到身后有人问："他这样做是为了什么？"

根本用不着回头去看，李寻欢就已听出这是铃铃的声音，这小姑娘好像已决心要缠着他，竟在后面跟着来了。

铃铃接着又道："他为什么要把自己挂到那里去？难道他怕你找不着他？难道他临死前还想将自己冲洗干净？"

李寻欢长长叹息了一声，道："一个人干干净净地来，本该干干净净地走，只不过，除此之外，他当然还有别的意思。"

铃铃道："什么意思？"

李寻欢道："因为他不愿别人将他的尸身埋葬，也不愿别人将他带走。"

铃铃道："这又是为了什么？难道他还要在这里等你。"

李寻欢黯然道："他正是为了要等我。"

铃铃道："他人已死了，还等你干什么？"

李寻欢仰面向天，一字字道："因为他有些话要告诉我。"

铃铃怔住了，只觉身上有些凉飕飕的，想笑又笑不出，想拉住李寻欢的手又不敢，过了半晌，才吃吃道："你……你说他还有话要告诉你？”

李寻欢道：“不错。”

铃铃道：“他想告诉你什么？你难道已知道了么？”

李寻欢道：“我已知道了。”

铃铃道：“他已告诉了你？”

李寻欢道：“不错。”

铃铃道：“可是……可是你来的时候，他已死了。”

第四十六章

英雄与枭雄

李寻欢看了看郭嵩阳的尸体，长叹道：“不错，我毕竟还是来迟了一步。”

铃铃道：“他的人既然已死了，还能对你说话？难道死人还能说话？”

李寻欢道：“有些话，用不着说出，我也可以听到。”

铃铃道：“可是……可是我怎么没有听见。”

她愈来愈不懂了，所以愈来愈害怕。

人们对自己不懂的事，总会觉得有些害怕的。

李寻欢沉默了半晌，柔声道：“你也想知道他说了些什么？”

铃铃咬着嘴唇，点了点头。

李寻欢道：“其实他也已将那些话告诉了你，只不过你没有注意去听而已，要知道死人告诉你的话，往往是最可贵的，因为这是他以自己生命换来的教训，你若能学会听死人说话，就可以多懂得许多事。”

铃铃嘴唇已有些发白，道：“可是死人说的话我怎么能听得到呢？”

李寻欢道：“要学会听死人说的话，自然不是件容易事，但你若想多活几年，活得好些，就该想法子学会。”

他神色很郑重，一点也没有开玩笑的意思。

铃铃颤声道：“我……我不知道该怎么样学，你肯教我么？”

李寻欢道：“你再仔细听听。”

铃铃闭起了眼睛。

她的确是在一心一意地听，可是她连一个字都听不见。

李寻欢道：“不但要用耳朵听，还要用眼睛听。”

铃铃张开了眼睛。

只见郭嵩阳身上的衣服，本已被剑锋划破了很多处，再被泉水冲激，此刻几乎也是赤裸着的。

他的肌肤已变成灰色，因为他的血已流尽，再经过泉水冲洗，一道道剑口两旁的皮肉都翻了起来，却看不到丝毫血迹。

过了很久，李寻欢才问道："你已听出了什么？看出了什么？"

铃铃道："我……我看出他身上受了很多处伤，一共有十……十九处。"

李寻欢道："不错。"

铃铃道："这些伤看来全都是剑伤，而且是被一柄很薄，很锐利的剑所伤。"

李寻欢道："何以见得？"

铃铃道："因为他的伤口都很短，也不太深，显见只是一种兵刃的尖锋划破的。"

李寻欢道："为什么一定是剑尖？"

铃铃道："因为刀尖枪尖都不可能有这么锋利。"

李寻欢点了点头，道："很好，你已学会很多了。"

铃铃嫣然一笑，又道："由此可见，伤他的人一定是荆无命，因为上官金虹用的是龙凤环，不是剑。上官金虹也许并没有来。"

李寻欢道："也许他虽然来了，却没有出手。"

铃铃点着头，忽然又道："这些剑伤都是斜的，下面较深，上面较浅。"

李寻欢道："不错。"

铃铃道："由此可见，对方的剑每一剑都是由下面反撩上去，这种剑法一定奇怪得很，我常听人说荆无命的剑法诡异迅急，武林罕睹，如今看来果然不错。"

李寻欢叹了口气，道："不错，他的剑法不但诡秘怪异，而且专走偏锋，每一剑出手的部位，都是对方绝不会想到的。"

他指着郭嵩阳膝盖上一处伤口道："你看这一剑……这一剑若是自上划下，那倒也平平无奇，但这伤口也是下深上浅，可见对方这一剑也是从下面反撩上来的。"

铃铃道："不错。"

李寻欢道："由此可见荆无命出手的部位，必定在膝盖以下，用的就必定是腕力，我若不看到这伤口，也想不到有人会在这种部位出手。"

铃铃只有点头。

李寻欢道："你看到的只是他正面，他背后还有七处伤口，以郭嵩阳的武功，绝不会将背都卖给对方。"

铃铃道："不错，我若和人交手时，也不会将背对着人的。"

李寻欢道："由此可见，他这些伤口一定是在两人身形交错时被荆无命所伤的。那么荆无命的剑只有从自己的肋下穿出，才能刺得到对方。"

他叹息着接道："自肋下出手本已不是常见的剑法，最怪的是，这几剑也是自下面反撩上去的，由此可见，荆无命必定已在两人身形交错时那一瞬间，改变了握剑的姿势，可乘势将剑反刺而出，他变势与出手，显见只是一个动作，所以速度必定快得可怕！"

铃铃已听得呆住了。

过了很久，她才长长叹了口气，道："原来他就是要告诉你这些话。"

李寻欢黯然道："若非如此，以他的武功，本不该受这么多处伤的。"

铃铃道："为什么？"

李寻欢道："高手决斗，胜负往往只在一招之间，无论谁的剑法有了丝毫破隙，对方绝不会放过。"

铃铃道："这我明白。"

李寻欢道："你想，嵩阳铁剑享誉武林二十年，单以剑法而论，已可算是当今天下数一数二的高手，又怎会在一场比斗中接连露出二十六处破绽，接连被对方刺伤了二十六处呢？"

铃铃道："这……这倒的确有些奇怪。"

李寻欢道："还有，荆无命的剑法既然那么毒辣，郭嵩阳这二十六处伤口都是轻伤，荆无命又怎会在他接连露出了二十六次破绽后，还不能一剑刺死他呢？"

铃铃呐呐道："是呀……这是为什么呢？"

李寻欢沉重地叹息了一声，黯然道："这只因郭嵩阳这二十六次破绽，都是故意露出的！"

铃铃愕然道："故意露出来的……他难道故意要荆无命刺伤他？"

李寻欢道："不错，就因为他破绽是故意露出来的，所以才每次都能及时闪避，所以他每次受的伤都不太重。"

铃铃更不懂了，道："他这么做又是为了什么？"

李寻欢黯然长叹道："他这样做，只为了要将荆无命出手的部位告诉我！"

铃铃简直说不出话来了。

过了半晌，她目中又流下泪来，垂首道："我本来以为这世上连一个好人都没有，人们交朋友，也是为了互相利用，所以一个人若要好好地活着，就得先学会如何去利用别人，欺骗别人，千万不能讲什么道义，否则吃亏的一定是自己。"

李寻欢叹道："这些话，自然也全都是林仙儿教你的。"

铃铃黯然点了点头道："但现在我却已知道，这世上毕竟是有好人的，江湖间也的确有轻生死、重义气的朋友。"

她忽然在郭嵩阳尸身前跪了下来，流着泪道："郭先生，你虽然不幸死了，可是你不但帮助了你的朋友，也使我明白了做人的道理，你……你在九泉之下，也该瞑目了……"

暮色将临。

山外的古道上，正有两个人在行走着，斜阳的余晖照着他们的衣服，他们的衣服上也闪耀着一种诡异的金光。

两人都戴着顶宽大的笠帽，将面目隐藏在笠帽的阴影中，一人走在前面，另一人紧跟在身后。

他们走得不快也不慢，看来都很安详，除了脚步移动外，两人都没有说话，也没有任何别的动作。

但他们身上似乎带着种无形的杀气，他们还未走入树林，林中的归鸦已被这种杀气所惊，纷纷飞起。

有几只昏鸦恰巧自他们头上飞过，走在后面的那人突然一挥手，只见寒光闪动，飞鸦哀鸣，弹丸般跌落到地上。

那人甚至没有抬头去瞧一眼，还是不快不慢地向前走着，紧紧跟随在前面一人的身后。

生命，在他眼中看来根本就无足轻重。

他绝不允许任何有生命之物压在他头上。

树林里很昏暗。

走到这里，前面一人突然停下脚步，几乎也就在这同一刹那间，后面一人的脚步也随着停下。

西风肃杀，落叶卷舞。

前面一人自然正是上官金虹，此刻忽然道："郭嵩阳的剑法如何？"

荆无命道："好！"

上官金虹道："很好？"

荆无命道："很好，在七大剑派掌门之上。"

上官金虹道："但他与你交手时，露出的破绽却达二十六次之多。"

荆无命道："二十九次，有三次我未出手。"

上官金虹缓缓点了点头，道："不错，有三次你未出手，为什么？"

荆无命道："因为那三次我若出手，便可要他的命！"

上官金虹道："你已看出他那些破绽是故意露出来的？"

荆无命道："不错，所以我不愿他死得太快，我正好拿他来练剑！"

上官金虹道："你可知道他为何要故意露出那些破绽？"

荆无命道："不知道，我没有去想。"

除了杀人的剑法外，他什么事都不愿去想。

上官金虹道："他故意露出那些破绽，为的就是要你刺伤他。"

荆无命道："哦？"

上官金虹道："他自知绝非我们敌手，所以才这样做，好让李寻欢看了他身上的伤口，就可看出你出手的部位。"

他抬起头，遥望山后，冷冷接着道："由此可见，他必定早已知道李寻欢会跟着去的，你我现在若是回头，必定可以在那里找到他！"

李寻欢正在阿飞的木屋中找着柄锄头，正在掘坟——死在哪里，就葬在哪里，这正是大多数江湖人的归宿。

铃铃一直在旁边看着他，因为他不愿铃铃动手，他要一个人掘成这座坟墓，他该做的事，从不愿任何人插手。

此刻铃铃忽然道：“你真的要将郭先生葬在这里？”

李寻欢无言地点了点头。

铃铃缓缓道：“一个人只要死得光荣，无论葬在哪里都是一样的，是么？”

李寻欢道：“是。”

铃铃道：“那么你就不该将他葬在这里。”

李寻欢道：“不葬在这里，葬在哪里？”

铃铃道：“你应该将他再挂到那边的飞泉中。”

李寻欢沉默着，不置可否。

铃铃道：“像上官金虹和荆无命这样的角色，迟早必定会看破郭先生的心意，是么？”

李寻欢道：“是。”

铃铃道：“荆无命自然不愿让你看破他剑法出手的部位，所以只要他们一想到这一点，就必定会立刻赶回来。”

李寻欢道：“不错。”

铃铃道：“他们回来时，若是发现郭先生的尸体已不在原来的地方了，就必定会想到你已来过。”

李寻欢点了点头。

铃铃道：“那么，等到他们和你交手时，就必定会将剑法改变了，是么？”

李寻欢道：“不错。”

铃铃道：“那么郭先生的这一番心意岂非就白费了么？”

李寻欢还是在继续挥动着他的锄头，坟墓已将掘成了。

铃铃道：“你既是郭先生的好朋友，就应该让他死得有价值，所以你就不该将他埋葬在这里。”

李寻欢缓缓道：“你说的话，我也都想到过。”

铃铃道：“那么你为何不将郭先生的尸身挂回原来的地方去？”

李寻欢一字字道：“我不能这样做，他为我而死，我……”

铃铃打断了他的话，大声道：“就因他是为你而死的，所以你才一定要这样做，否则他岂非等于白死了？他死得能瞑目么？”

李寻欢沉默了很久，缓缓道：“我敢打赌，上官金虹和荆无命绝不会再回到这里来的！”

荆无命已回过头。

上官金虹道：“你要回去找他？”

荆无命道：“是。”

上官金虹道：“我知道你久已想与小李飞刀决一死战，可是你现在绝不能去！”

荆无命道：“为什么？”

上官金虹道：“你现在若是去了，必败无疑！”

荆无命的手霍然握住了剑柄，声音也变得更嘶哑，嗄声道：“你怎知我必败无疑？”

上官金虹道：“你已杀了郭嵩阳，杀气已减，李寻欢此刻却正是悲愤填膺，你若与他交手，在气势上你已输给他三分。”

荆无命道：“哼。”

上官金虹道：“你已经一战，再加以长途跋涉，体力总难免更弱些，李寻欢在那里以逸待劳，又占了三分便宜。”

荆无命道：“可是你……”

上官金虹道：“你我若是连手，自然能致他死命，只不过……你怎知李寻欢是一个人去的？他若是和孙老儿在一起又如何？”

荆无命道：“凭他们两人，也未必能……”

上官金虹又打断了他的话，厉声道：“我早已告诉过你，我此次出江湖，只许胜，不许败，一定要有十二分的把握，才能出手！”

荆无命默然。

上官金虹冷冷接着道：“何况，今日之你，已非昔日之你了！”

荆无命道：“我还是我！”

上官金虹道：“但如今你有情。”

荆无命道：“有情？”

上官金虹道："你能胜人，就因为你的无情，如今你既已有情，你的人与剑势必都要日渐软弱……"

荆无命握着剑柄的手，渐渐松开了，似已被说中心事。

上官金虹道："你从不动心，如今怎会有情，是谁打动了你？"

荆无命霍然转过身，道："没有人。"

上官金虹道："我也不想问你那人是谁，但你若想胜过别人，若想胜过李寻欢，就得恢复昔日的你；你若想恢复昔日的你，就得先杀了那令你动心的女人！"

说到这里，他就转过身，不快不慢地走入了树林。

荆无命默然半晌，终于跟着走了进去。

他的双手已紧紧握住了剑柄。

夜，秋夜，夜已深。

李寻欢的心情就和他的脚步一样沉重。

郭嵩阳终于已安葬了，这名动天下的剑客，归宿也正和许许多多平凡的人一样，只不过是一抔黄土。

他死得是否比别人有价值得多？

李寻欢黯然，他也不知道这问题的答案，他只知道郭嵩阳本可不必死的，不必死的人死，岂非有些痴？

也许古往今来的英雄们，多少都有些痴。

李寻欢自己又何尝不痴？

铃铃紧紧跟随着他，忽然道："你怎么知道上官金虹他们绝不会再来？"

李寻欢道："因为他们是当代的枭雄，枭雄们的行事总和别人不同。"

铃铃眨着眼，道："有什么不同？"

李寻欢道："他们一击出手，无论中与不中，都立刻全身而退，再等第二次更有利的机会，他们绝不会做没有把握的事！"

他叹了口气，苦笑着接道："枭雄绝不会痴，所以和英雄不同。"

铃铃道："英雄都很痴么？"

第四十七章

大欢喜女菩萨

李寻欢道："痴并不可笑，因为唯有至情的人，才能学得会这'痴'字。"

铃铃笑了，道："痴也要学？"

李寻欢道："当然，无论谁想学会这'痴'字，都不是件易事，因为'痴'和'呆'不同，只有痴于剑的人，才能练成精妙的剑法，只有痴于情的人，才能得到别人的真情，这些事，不痴的人是不会懂的。"

铃铃垂下头，似在咀嚼着他这几句话中的滋味。

过了很久，她才轻轻叹息了一声，幽幽道："和你在一起，我的确懂了许多事，只可惜……只可惜你就要走了，而且绝不会带我走。"

李寻欢默然半晌，道："至少我会先陪你回去。"

铃铃道："那么，我们为何不走地道？那条路岂非近得多么？"

李寻欢道："我可不是老鼠，为何要走地道？"

他笑了笑，柔声接着道："只有那些见不得天日的人，才喜欢走地道，一个人不到万不得已的时候，还是莫要走地道的好。"

他自己心情虽然沉重，却总是想令别人觉得开心些。

铃铃果然笑了，道："好，我听你的话，以后绝不做老鼠。"

李寻欢仰面向天，长长吸了口气，道："你看，这里有清风，有明月，还有如此清的流水，这些事，那些专走地道的人哪里能享受得到。"

铃铃笑道："我倒宁愿天上挂的是月饼，地上流的是美酒……"

她咽了口口水，又叹了口气，道："老实说，我肚子实在饿了，饿得要命，回去后，第一件事我就要下厨房，做几样好吃的……"

她语声忽然顿住，因为她已嗅到一阵酒菜的香气，随风传来，这种味道在深山中自然传播得特别远。

李寻欢道："炸子鸡、红烧肉、辣椒……还有极好的陈年花雕。"

铃铃笑道："你也闻到味道了？"

李寻欢笑道："年纪大了的人，耳朵虽也许会变得有点聋，眼睛也会变得有点花，但鼻子却还是照样灵得很的。"

铃铃道："你可嗅得出这味道是从哪里来的？"

李寻欢摇了摇头，道："我只知道镇上那小店绝没有这么好的酒，也做不出这么好的菜。"

铃铃道："何况那小店早就关门了。"

李寻欢笑了笑道："也许是哪家好吃的人正在做消夜。"

铃铃摇头道："绝不会，这镇上住的几十户人家我都知道，他们日子过得都很节省，就算偶尔想弄顿消夜吃，最多也不过煮碗面，打两个蛋而已。"

李寻欢沉吟着，道："也许他们家有远客来了，所以特别招待……"

铃铃道："也不会，绝没有一家的媳妇，能烧得出这么香的菜。"

她嫣然一笑，又道："这里能烧得出好菜的只有一个人。"

李寻欢含笑问道："谁？"

铃铃指着自己的鼻子，笑道："就是我。"

她又皱了皱眉，接着道："所以我才奇怪，我还没有下厨，这酒菜的香气是从哪里来的呢？"

这时他们已转出了山口。

李寻欢忽然道："这酒菜的香气，就是从你那小楼上传来的。"

长街静寂。

山林中的人都睡得早，家家户户的灯火都已熄灭了，但一转入枫林，就可发现那小楼上依然是灯火通明。

不但那酒菜的香气是从小楼上传来的，而且楼上还隐约可以听见一阵阵男女混杂的笑声。

铃铃怔住了。

李寻欢淡淡道："莫非是你们家的小姐已回来了？"

铃铃道："绝不会，她说过至少也要等三五个月后才会回来。"

李寻欢道："你们家的客人本不少，也许又有远客来了，主人既不在，就自己动手弄些酒菜吃。"

铃铃道："我先上去瞧瞧，你……"

李寻欢道："还是我先上去的好。"

铃铃道："为什么？这些人既然在楼上又烧菜，又喝酒，闹得这么厉害，显然并没有什么恶意，你难道还怕我先上去有危险不成？"

李寻欢笑了笑，道："我只不过也很饿了。"

他抢先走上小楼旁的梯子，走得很小心，似乎已感觉到有人在小楼上布了个陷阱，正等着他上去。

那些酒菜的香气，正是诱他来上当的。

楼上的门是开着的。

李寻欢一走到门口，就呆住了。

他从来也未曾见过这么多，这么胖的女人。

他这一生中见到的胖女人，加起来还没有现在一半多。

小楼上的地方虽不大，也不算小，像李寻欢这么大的人，就算有一两百个在楼上，也不会挤满的。

现在楼上只有二十来个人，却已几乎将整个楼都挤满了。李寻欢想走进去，几乎都困难得很。

小楼本来用木板隔成了几间屋子，现在却已全都被打通，本来每间屋里都有一两张桌子，现在这些大大小小的桌子都已并在一起，桌子上堆满了各式各样的酒菜，堆得简直像座小山。

屋子里坐着十来个女人，她们都坐在地上，因为无论多么大的椅子她们也坐不下，就算坐下去，椅子也要被坐垮。

但谁也不能说她们是猪，因为像她们这么胖的猪世上还少见得很，而且猪也绝没有她们吃得这么多。

李寻欢走到门口的时候，恰巧有一大盘炸子鸡刚端上来，这十几个胖女人正好一起在吃炸子鸡。

那声音简直可怕极了，任何人都无法形容得出，小孩若是听到这种声音，半夜一定会做噩梦。

堆酒菜的桌子旁铺着七八张丝被，最胖的一个女人就坐在那里，还有五六个男人在旁边围着她。

这些男人一个个都穿着极鲜艳的衣裳，年纪也都很轻，长得也都不算难看，有的脸上还擦着粉。

他们身材其实也不能算十分瘦小，但和这女人一比，简直就活像个小猴子。这女人不但奇肥奇壮，而且又高又大，一条腿简直比大象还粗，穿的一双红缎软鞋，至少也得用七尺布。

那五六个男人有的正在替她敲腿，有的在替她捶背，有的在替她扇扇子，有的手里捧着金杯，在喂她喝酒。

还有两个脸上擦着粉的，就像是条小猫似的蜷伏在她脚下，她手里撕着炸子鸡，高兴了就撕一块喂到他们嘴里。

幸好李寻欢很久没吃东西了，否则他此刻只怕早就吐了出来。他平生再也没有瞧见过比这更令人恶心的事。

但是他并没有回头，反而大步走了进去。

所有的声音立刻全都停止了，所有的眼睛全都在盯着他。

被十几个女人盯着，并不是件好受的事，尤其是这些女人，她们好像将李寻欢看成只炸鸡，恨不得一起伸出手将他撕碎。

无论任何人在这种情况下，都会变得很局促，很不安。

李寻欢并没有。

就算他心里有这种感觉，表面也绝对看不出。

他还是随随便便地走着，就算是走上金殿时，他也是这样子，他就是这么样一个人，无论谁也没法子使他改变。

那最胖最大的女人眼睛已眯了起来。

她眼睛本来也许并不小，现在却已被脸上的肥肉挤成了一条线，她脖子本来也许并不短，现在却已被一叠叠的肥肉填满了。

她坐在那里简直就像是一座山，肉山。

李寻欢静静地站在她面前，淡淡地笑了笑，道："大欢喜女菩萨？"

这女人的眼睛亮了，道："你知道我？"

李寻欢道："久仰得很。"

大欢喜女菩萨道："但你却没有逃走？"

李寻欢笑道："我为何要逃走？"

大欢喜女菩萨也笑了。

她开始笑的时候，还没有什么特别的变化，但忽然间，她全身的肥肉都开始震动了起来。

满屋子的人都随着她震动了起来，本来伏在她背上的一个穿绿衣服的男人，竟被弹了出去。

桌上的杯盘碗盏叮当直响，就像地震。

幸好她笑声立刻就停止了，盯着李寻欢道："我虽还不知道你是谁，但你的来意我已知道。"

李寻欢道："哦？"

大欢喜女菩萨道："你是为了蓝蝎子来的，是不是？"

李寻欢道："是！"

大欢喜女菩萨道："她杀死我那宝贝徒弟，就是为了你？"

李寻欢道："是。"

大欢喜女菩萨道："所以你想来救她？"

李寻欢道："是。"

大欢喜女菩萨眼睛又眯了起来，带着笑意道："想不到你这男人倒还有点良心，她为你杀人，倒还不冤枉。"

她一挑大拇指，接着道："但蓝蝎子也真可算是个了不起的女人，讲义气，有骨头，她杀了我的徒弟，非但没有逃走，反而敢来见我，以前我倒真未想到她是这么样的一个人，跟你倒可算是天生的一对儿。"

李寻欢并没有辩驳，反而微笑道："女菩萨若肯成全，在下感激不尽。"

大欢喜女菩萨道："你想将她带走？"

李寻欢道："是。"

大欢喜女菩萨道："我若已杀了她呢？"

李寻欢淡淡道："那么……我也许就要替她报仇了！"

大欢喜女菩萨又笑了起来，道："好，你不但有良心，也有胆子，我倒真还舍不得杀你。"

她的腿一伸，将伏在她腿上的一个男人弹了起来，道："去，替这位客人倒酒。"

这男人穿着件滚着花边的紫红衣服，身材本不矮，此刻却已缩了起来，脸上居然还抹着厚厚的一层粉。

看他的五官轮廓，看他的眼睛，他以前想必也是个很英俊的男人，以前认识他的人只怕做梦也想不到他会变成这样子。

只见他双手捧着金杯，送到李寻欢面前，笑嘻嘻道："请。"

一个人落到这种地步，居然还笑得出来。

李寻欢暗中叹了口气，也用双手接着金杯，道："多谢。"

他无论对什么人都很客气，他觉得"人"，总是"人"，他一向不愿伤害别人，就算那人自己在伤害自己。

金杯的容量很大，足可容酒半斗。

李寻欢举杯一饮而尽。

大欢喜女菩萨笑道："好，好酒量！好酒量的男人才是好男人，我这些男人谁也比不上你。"

那穿紫花衣服的男人又捧了杯酒过来，笑嘻嘻道："李探花千杯不醉，请，再尽这一杯。"

李寻欢怔住了。

这男人居然认得他。

大欢喜女菩萨皱眉道："你叫他李探花？哪个李探花？"

那男人笑道："李探花只有一个，就是大名鼎鼎的小李飞刀，李寻欢。"

大欢喜女菩萨也怔住了。

屋子里所有人的眼睛都发了直。

小李飞刀！

近十余年来，江湖中几乎已没有比他更响亮的名字！

大欢喜女菩萨突又大笑起来，道："好，久闻小李探花不但有色胆，也有酒胆，今日一见，果然是名不虚传，除了你之外，别人也没有胆子到这里来。"

那男人笑嘻嘻道："小李飞刀，例不虚发，这就叫艺高人胆大！"

李寻欢一直在盯着他的脸，忍不住道："却不知阁下是……"

那男人笑道："李探花真是贵人多忘事，连老朋友都不认得了么？"

大欢喜女菩萨目光闪动，忽又笑道："你的人他虽已不认得，你的剑法他想必还是认得的。"

那男人咯咯笑道："我的剑法……我的剑法连我自己都忘了。"

大欢喜女菩萨缓缓道："你没有忘，快去拿你的剑来。"

那男人倒真听话，乖乖地走到后面去。

后面还有刀勺声在响，一阵阵香气传来，这次炒的是"干炒雪腿"，正是滇贵一带的名菜。

那男人的身形虽已有些佝偻，但走起路来倒不慢，还不到半盏茶工夫，就捧着柄乌鞘长剑走了出来。

大欢喜女菩萨笑道："来，露一手给他瞧瞧。"

笑声中，她已将手里的大半只炸鸡向这男人抛了出去。

只听"叮"的一声，剑光一闪！

这男人拧身，拔剑，剑光匹练般飞出，剑花点点。

大半只炸鸡已变成四片，一连串穿在剑上。

李寻欢失声道："好剑法！"

他实在没有想到这男人竟有如此高明的剑法，如此迅急的出手，最奇怪的是，他使出的这一招剑法，李寻欢看来竟熟悉得很，仿佛在什么地方见过，而且还仿佛曾经和他交过手。

这男人已笑嘻嘻走了过来，道："这鸡炸得还不错，李探花请尝一块。"

黄澄澄的炸鸡串在碧森森的剑上，果然显得分外诱人。

碧森森的剑光宛如一池秋水。

李寻欢悚然失声，竟几乎忍不住要叫了出来。

"夺情剑！"

这男人掌中的剑，竟是夺情剑。

望着这男人，李寻欢全身都在发冷，嗄声道："游龙生，阁下莫非是藏剑山庄的游少庄主？"

这男人笑嘻嘻道："老朋友毕竟是老朋友，你到底还是没有忘了我。"

他似乎笑得太多，脸上的粉都在簌簌地往下落。

这真的就是游龙生？这真的就是两年前雄姿英发、不可一世的少年豪杰？

李寻欢只觉全身的汗毛都竖了起来，他实在梦想不到这少年竟会变成如此模样，他不但为他悲痛，也为他惋惜。

但游龙生自己却似已完全麻木了，脸上还是笑嘻嘻的，慢慢地将挑在剑尖的炸鸡取下，挑了一块最肥的，放在嘴里咀嚼着，喃喃道："好，味道果然与众不同，能吃到这种炸鸡，真是口福不浅。"

大欢喜女菩萨笑道："藏剑山庄的厨子做不出这么好的炸鸡来么？"

游龙生叹了口气，道："他们做出来的炸鸡简直就像木头。"

大欢喜女菩萨道："若不是我，你能吃到这种炸鸡么？"

游龙生道："吃不到。"

大欢喜女菩萨道："你跟我在一起，日子过得开心不开心？"

游龙生笑道："开心死了。"

大欢喜女菩萨道："蓝蝎子和我，若要你选一个，你选谁？"

游龙生似乎又想爬到她脚下去，笑嘻嘻道："当然是选我们的女菩萨。"

大欢喜女菩萨抚着肚子大笑起来，咯咯笑道："好，这小子总算是有眼光的，也不枉我疼你一场！"

她忽然指着自己的咽喉，道："来，往我这地方刺一剑，给李探花瞧瞧。"

游龙生道："那不行，若是伤了女菩萨，那怎么得了，我也要心疼死了。"

大欢喜女菩萨笑骂道："小兔崽子，凭你也能伤得了我，放心刺过来吧！"

她居然抬起了头，伸直了脖子在等。

游龙生迟疑着，眼珠子不停地在转，突然道："好！"

这"好"字出口，他剑也出手。

但见寒光闪动，如惊虹，如掣电。

游龙生剑法之快，虽不及阿飞，但也可算是武林中顶尖的高手，李寻欢曾经和他交过手，对他的剑法自然清楚得很。

大欢喜女菩萨端端正正地坐在那里，居然连动都不动，她若是个男人，倒真像一尊弥勒佛。

剑光已闪电般刺入了她咽喉。

第四十八章

女巨人

游龙生不但剑法快，手里用的“夺情剑”也可算是柄吹毛断发的利器，李寻欢对这柄剑的锋利也清楚得很。

他不信有任何人的血肉之躯能挡得住这一剑。

只听一声惊呼，游龙生的人竟突然弹了出来，跌坐在李寻欢身旁的一个胖女人身上。

这女人吃吃地笑着，搂住了他。

再看那柄剑，还插在大欢喜女菩萨的咽喉上。

但大欢喜女菩萨却还是好好地坐在那里，笑眯眯地瞧着李寻欢。

李寻欢简直说不出话来了。

这位大欢喜女菩萨，竟以脖子上的肥肉，将这柄剑夹住。这种功夫别人非但没看到，简直连听都没有听说过。

只听她吃吃笑道：“胖女人也有胖女人的好处，这话现在你总该相信了吧。”

剑柄一直在不停地颤动着，到此刻才停止。

李寻欢叹了口气，苦笑道：“女菩萨的功夫，果然非常人能及。”

这一点也不得不承认，因为谁也没有她那么多肥肉。

大欢喜女菩萨笑道：“我也听说过你的飞刀，百发百中，连我那宝贝干儿子都躲不开你的一刀，你自己当然也觉得自己蛮不错的，是吗？”

李寻欢没有说话。

大欢喜女菩萨道：“你就是仗着你那手飞刀，才敢到这里来的，是吗？”

她缓缓将夹在脖子上的剑拿了起来，带着笑道：“但你那手飞刀能杀得了我么？”

李寻欢又叹了口气，苦笑道：“杀不了。”

大欢喜女菩萨笑了，道：“你现在还想不想将蓝蝎子带走？”

李寻欢道：“想。”

大欢喜女菩萨脸色也不禁变了变，但立刻又笑道：“有趣有趣，你这人真有趣极了，你想用什么法子将蓝蝎子带走呢？”

李寻欢笑了笑，道：“我慢慢地想，总会想出个法子来的。”

大欢喜女菩萨眼睛又眯了起来，道：“好，那么你就留在我这里，慢慢地想吧。”

李寻欢笑道：“这里既然有酒，我多留几日也无妨。”

大欢喜女菩萨道：“但我这酒可不是白喝的。”

李寻欢笑道：“你想要我怎样？”

大欢喜女菩萨眯着眼，笑道：“本来我还嫌你稍微老了一点，但现在却愈看你愈中意了，所以，你也用不着再想别的法子，只要你留在这里陪我几天，我就让你将蓝蝎子带走。”

李寻欢还是在笑，悠然道：“你不嫌我老，我却嫌你太胖了，你若能将身上的肉去掉一百斤，我就算陪你几个月也无妨，现在么……”

他摇了摇头，淡淡道：“现在我实在没有这么好的胃口。”

大欢喜女菩萨面上骤然变了颜色，冷笑道：“你敬酒不吃，要吃罚酒，好！”

她忽然一挥手。

坐在李寻欢四侧的几个胖女人立刻站了起来。

她们的人虽然胖，但动作却不慢，腿一伸，人已弹起，四面八方地向李寻欢包围了过来。

这几人中最瘦的一个，身子也有两尺宽、一尺厚，几个人站在一起，就像是道肉墙，连一丝缝隙都没有。

屋顶很低，李寻欢既不能往上跃，也不能往外冲——看到这些女人身上的肥肉，他简直一看着就恶心。

但这些女人却愈挤愈近，竟似想将他夹在中间，他的飞刀若出手，纵能击倒一人，别的人照样还是要冲上来的。

若是真的被她们夹住，那滋味李寻欢简直连想都不敢想。

只听大欢喜女菩萨大笑道："李寻欢，我知道连少林寺的罗汉阵都困不住你，但若你能破得了我这肉阵，才真的算你有本事。"

她笑声愈来愈大，整座小楼都似已随着她的笑声震动起来，小楼下的木架，也被压得吱吱发响。

李寻欢眼睛亮了，他忽然想起了铃铃。

铃铃根本没有上楼。

她自然不会眼看着李寻欢被困死，她一定在想法子——

就在这时，只听"轰"的一声，整座楼都垮了下去，只听"哎哟、扑通"之声不绝于耳，满屋子的人也随着跌了下去。

屋顶也裂开了个大洞。

李寻欢身形已掠起，燕子般自洞中蹿出。

他以为大欢喜女菩萨一定也跌了下去，她身子至少也有三四百斤，这一跌下去，纵然能爬起来，至少也得费半天劲。

谁知这大欢喜女菩萨不但反应快得惊人，轻功也绝不比别人差，李寻欢身子刚掠出，就听得又是"轰"的一声大震。

大欢喜女菩萨又将屋顶撞破了个大洞，就像是个大气球似的飞了出来，连星光月色都被她遮住。

小楼还在继续往下倒塌，灰土迷蒙，瓦砾纷飞。

李寻欢头也不回，"平沙落雁"，掠下地面。

只听大欢喜女菩萨咯咯笑道："李寻欢，你既已被我看上，就再也休想跑得了。"

笑声中，她整个人已向李寻欢扑了过来。李寻欢只觉风声呼呼，就仿佛整座山峰都已向他压下。

他的手突然向后挥出。但见寒光一闪，小李飞刀终于出手。

出手一刀，例不虚发。

鲜血飞泉般自大欢喜女菩萨脸上标出。

这一次李寻欢飞刀取的并非她的咽喉，而是她的右眼。他的飞刀一出手，就知道绝不会落空。

他有这信心。

但大欢喜女菩萨的笑声却仍未停顿，笑得李寻欢有点毛骨悚然，他忍不住猝然转身回头。

只见大欢喜女菩萨正一步步向他走了过来，面上的鲜血流个不停，飞刀还插在她眼眶里。

但她却丝毫也不觉得痛苦，还是咯咯笑道："李寻欢，我已看上了你，你就跑不了的，你还有几把飞刀，一起使出来吧，像这么大的刀，就算有一百把都插在我身上，我也不在乎！"

她忽然反手拔出那把刀，放在嘴里大嚼起来。

一柄精钢铸成的飞刀，竟被她生生嚼碎。

李寻欢也不禁怔住了。

这女人简直不是人，简直是个上古洪荒时代的巨兽，若想要她倒下，看样子真得用上一两百把刀才行。

但就在这时，突听大欢喜女菩萨发出了一声惊天动地般的狂吼，整个树林都似已被这吼声震得摇动起来。

李寻欢只见到一点碧森森的剑尖忽然自她前胸突出，接着，就有一股鲜血暴雨般飞溅了出来。

然后，他才见到游龙生双手握着夺情剑的剑柄，一把三尺七寸长的夺情剑，已全都刺入了大欢喜女菩萨的后背。

剑尖自后背刺入，前心穿出。

大欢喜女菩萨狂吼一声，将游龙生整个人都弹了起来，飞过她头顶，"砰"的一声，跌在她脚下。

她的人跟着倒下，恰巧压在游龙生身上。

只听"咔嚓、咔嚓"之声一连串地响，游龙生全身的骨头都似已被她压断，但他却咬紧牙关，不出一声。

大欢喜女菩萨牛一般喘息着，道："是你……原来是你！"

游龙生也在喘息着，道："你想不到吧……"

大欢喜女菩萨道："我……我对你不坏，你为何要……要暗算我？"

游龙生脸上的冷汗一粒粒往外冒，咬着牙道："我一直没有死，就为的是在等着这么样的一天……"

他已被压得连呼吸都已将停止，眼前渐渐发黑，只觉得大欢喜女菩萨身子一阵抽搐，忽然滚了出去。

然后，他就看到了李寻欢那双永远都带着一抹淡淡忧郁的眼睛，他也感觉到有一双稳定的手正在替他擦拭着额上的冷汗。

这双手虽然随时都可取人的性命，却又随时都在准备着帮助别人，这只手里有时握着的虽是杀人的刀，但有时却握着满把同情。

游龙生想勉强挤出一丝笑容，却失败了，只能挣扎着道："我不是游龙生。"

李寻欢默然半晌，才沉重地点了点头，道："你不是。"

游龙生道："游龙生早已……早已死了。"

李寻欢黯然道："是，我明白。"

游龙生道："你今日根本未见到游龙生。"

李寻欢道："我只知道他是我的朋友，别的我都不知道。"

游龙生嘴角终于露出一丝凄凉的微笑，嗄声道："能交到你这种朋友的人，实在是运气，我只恨……"

他只觉一口气似已提不起来，用尽全身力气，大呼道："我只恨为何不死在你手里！"

黎明。

枫林外添了三堆新坟。是游龙生、蓝蝎子和大欢喜女菩萨的坟——掘坟的正是她自己的门下。

她们对大欢喜女菩萨的死，竟丝毫也不觉得悲愤，显见这位女菩萨并非真的有菩萨心肠，活着时也并不讨人欢喜。

使这小楼倒塌的，果然是铃铃。

她自己也觉得很得意："我只不过弄松了一根柱子，小楼就倒了下来，若不是我见机得快，要被活活压死。"

见到大欢喜女菩萨的门下一个个全都走了，她又觉得很奇怪。

"她们为什么没有替师父报仇的意思呢？"

李寻欢叹了口气，道："这也许是因为那位女菩萨只顾着拼命填她们的肚子，却忘了去照顾她们的心。"

铃铃笑了，道："不错，一个人的肚子若太饱，就懒得用心了。"

她又皱了皱眉，道："但你为什么就这样放她们走了呢？"

李寻欢淡淡一笑，道："我养不起她们。"

铃铃咬着嘴唇，沉默了半晌，用眼睛瞟着李寻欢，道："若是只养一个人，你养得起吗？”

她眼珠子一转，接着又道：“那人吃得并不多，既不喝酒，也很少吃肉，每天只要青菜豆腐就行了，而且她还会自己煮饭，自己炒菜，菜做得好极了，你晚上睡觉，她会替你铺床，早上起来，她会替你梳头。”

李寻欢笑了笑，道：“这样的人，她自己一定会活得很愉快，用不着跟我受苦。”

铃铃的小嘴嘟了起来，恨恨道：“我知道你心里只有蓝蝎子，她的腰比我细。”

李寻欢苦笑道：“你认为我心里只有蓝蝎子？”

铃铃道：“当然，为了她，你不惜冒那么大的险，不惜去拼命，其实她早已死了，根本就用不着你为她担心。”

李寻欢叹道：“她活着时若是我的朋友，死了也是我的朋友。”

铃铃道：“那么……我难道就不是你的朋友？”

李寻欢道：“当然是。”

铃铃道：“你既然肯为死了的朋友去拼命，为什么不能替活着的朋友想想呢？”

说着说着，她眼圈又红了，揉着眼睛道：“我本来就没有亲人，现在连家也没有了，你难道真能眼看着我活在世上，每天向人家要剩饭吃？”

李寻欢只有苦笑。

他发觉现在的女孩子愈来愈会说话了。

铃铃往指缝里偷偷瞟了他一眼，悠悠地接着道：“何况，你若不带我走，怎能找到我家小姐呢？你若找不到我家小姐，又怎么能找到你的朋友阿飞？”

阿飞正在喝汤。

牛肉汤，炖得很香，很浓。

阿飞捧在手里慢慢地啜着，眼睛茫然直视着汤碗的边缘，脸上一点表情也没有，仿佛根本辨不出这碗汤的滋味。

林仙儿就坐在对面，手托着腮，温柔地望着他，柔声道：“最近你脸色不太好，多喝些汤吧，这汤滋补得很，你快趁着热喝，冷了就不好吃了。”

阿飞仰起头，将一大碗汤全都喝了下去。

林仙儿轻轻地替他抹了抹嘴，道：“好不好喝？”

阿飞道：“好。”

林仙儿道：“还要不要再替你添一碗？”

阿飞道：“要。”

林仙儿嫣然道：“这就对了，最近你饭吃得比以前少得多，就该多喝几碗汤。”

屋子很简陋，却是新粉刷过的，连厨房里的墙都还没有被油烟熏黑，因为他们刚搬进来还不到两天。

林仙儿又添了碗汤，捧到阿飞面前，带着笑道：“这地方虽不大，菜市场却不小，只不过卖肉的有点欺生，一斤肉就要多算我十文钱。”

阿飞低着头喝了两口汤，忽然道：“明天我们不喝牛肉汤了。”

林仙儿眨着眼道：“为什么？你不喜欢？”

阿飞沉默了半晌，缓缓道：“我喜欢，可是我们喝不起。”

林仙儿笑了，柔声道：“你用不着为钱发愁，这几年狐皮衣服正风行，上个月你打的狐狸，我一共卖了二十七两银子，到现在还没用完。”

阿飞道：“总要用完的，这地方又没有狐狸可打。”

林仙儿道：“等用完时再说吧，何况，我还有些私房钱。”

阿飞道：“我不能用你的钱。”

林仙儿眼圈儿立刻红了，低着头道：“为什么不能？这些钱既不是偷来的，也不是抢来的，是我替人家缝缝补补，用十根手指头辛苦赚来的。”

第四十九章

各有安排

林仙儿说着说着，眼泪已流了下来，幽幽地道："你知道，以前我那些钱，都已听你的话分给人家了，你难道不信？"

阿飞长长叹了口气，柔声道："我不是不信，只不过……我应该养你的，我不能让你受苦。"

林仙儿从背后紧紧搂住了他，伏在他身上，流着泪道："我知道你是真心对我好，从来也没有人对我这么好，可是，我们两人既然已这么好了，你就不该再分什么你的、我的……连我的心都已是你的了，你难道不知道？"

阿飞闭上眼睛，将她的一双手紧紧握在手里，只要能永远握着这双手，他再也不要什么别的。

阿飞终于睡着了。

林仙儿将自己的手悄悄地从他手里抽了出来。

她站在床头，静静地瞧了这少年半晌，嘴角露出了一丝微笑。

她笑得那么美，却又那么残酷。

然后，她悄悄走了出去，悄悄地关起了门，回到自己屋里，从一只简陋的小木箱里，取出了个小木瓶。

她倒了杯茶，又从木瓶中倒出些闪着银光的粉末，就着茶吞下去，这些银粉她每天都不会忘记吃的。

因为这是珍珠磨成的粉，据说女人吃了，就可使青春永驻。

愈是美丽的女人愈怕老，总要想尽法子，来保住青春，却不知青春是无论什么法子也留不住的。

望着手里的小木瓶，林仙儿又不觉笑了。

"阿飞若知道这瓶珍珠粉值多少钱，一定会吓一跳。"

她发觉男人都很容易受骗，尤其容易被自己心爱的女人欺骗，所以她一向觉得男人不但很可怜，也很可笑。

她还未遇到过一个从不受骗的男人。

也许只有一个——李寻欢。

一想起李寻欢，她的心就立刻沉了下去。

"今天已经是十月初五了吧……"

李寻欢是不是已死了？为什么到现在还没有消息？

门外是一条很僻静的小路。

繁星，无月，远处的灯火已寥落。

远处忽传来一阵脚步声，两个矫健的青衣少年抬着顶小轿健步如飞而来，就在这门口停下。

过了半晌，林仙儿就悄悄走了出来，掩起门，坐上轿，将四面的帘子都放落，竹帘并不密，别人虽瞧不见她，她却可瞧见别人。

轿子已抬起，向来路奔去。

他们走的并不是大路，转过两三条小径，连寥落的灯火都已见不到了，轿夫的脚步才渐渐放缓。

四野静寂，寂无人声。

再往前走，就是片木叶还未凋落的密林，密林左面有个小小的土地庙，右面是一堆堆荒坟。

轿子就在这里停了下来。

前面的轿夫，自轿底取出了个灯笼，燃起了烛火，高高挑起，灯笼是粉红色的，上面还画着一朵朵鲜红的梅花。

灯笼一燃起，树林里、坟堆间、土地庙中，就忽然鬼魅般出现四条人影，分在四个方向，向轿子这边奔了过来。

这四人脚步都不慢，神情似乎都显得很兴奋，但发现除了自己外还有别人时，四个人脚步都立刻变了，脚步也缓下，彼此瞪了一眼，目光中都带着些警戒之色，还带着些敌意。

从树林里走出来的是个脸圆圆的中年人，身上穿的衣服很华丽，看来就像是个买卖做得很发财的生意人。

但他的行动却很矫健，武功的根基显然不弱。

从坟堆间走出的有两个人，右面的一人短小精悍，满身黑衣，看来仿佛有些鬼鬼祟祟的，轻功却可算是武林中的高手。

左面一人不高不矮，不胖不瘦，穿的衣服也很普通，看来丝毫不起眼，无论谁瞧见这种人，都不会多加注意。

但他的轻功却似比那短小精悍的黑衣人还高一筹。

从祠堂里走出的一人年纪最轻，气派也最大，虽施展轻功，但脚步沉稳，目光炯炯，武功也显然比别人高。

他穿着件宝蓝色的长袍，腰畔悬着柄绿鲨鱼皮鞘、黄金吞口的长剑，看来正是位翩翩佳公子。

林仙儿显然知道来的是这四个人，也没有掀帘子瞧一眼，更没有下轿子，只是银铃般笑了笑，道："四位远来辛苦了，这里也没有备酒替四位洗尘接风，真是抱歉得很。"

四个人听到她的声音都情不自禁地露出了笑容，本来仿佛想抢着说话的，但彼此瞧了一眼，又都闭上了嘴。

林仙儿柔声道："我知道四位都有些话要说，但谁先说呢？"

那模样最平凡的灰衣人脸上一点表情也没有，还是静静地站在那里，似乎不敢和别人争先。

那蓝衣少年皱了皱眉，背负着双手，傲然转过了头，他显然不屑和这些人为伍，是以也不愿争先。

那脸圆圆的中年人脸上堆满了微笑，向黑衣人拱了拱手，道："兄台先请。"

黑衣人倒也不客气，纵身一跃，已到了轿前。

林仙儿已笑道："两个月不见，你的轻功更高了，真是可喜可贺。"

黑衣人阴鸷的脸上也不禁露出得意之色，抱拳道："姑娘过奖了。"

林仙儿道："我求你做的两样事，想必定是马到成功，我知道你从未令我失望的。"

黑衣人自怀中取出一沓银票，双手捧了过去，道："宝庆那一带的账已完全收齐了，这里一共是九千八百五十两，开的是山西同福号的银票。”

林仙儿自轿子里伸出一只春葱般的纤纤玉手，将那沓银票全都接了过去，似乎先点了点数目，才笑道：“这次辛苦你了，我真不知道该怎么感谢你才好。”

黑衣人眼睛还盯在林仙儿的手方才伸出来的地方，似已看得痴了，这时才勉强一笑，道：“谢字不敢当，只要姑娘还记得我这人也就是了。”

林仙儿道：“但那说书的孙老头和他那孙女呢？你想必已追查出了他们的下落吧？”

黑衣人垂下了头，讷讷道：“我本来一直跟着他们的，但到了关中道上，这两人就忽然失踪了，关中道上的朋友谁也没有看到过这么样的两个人，这两人就像……就像忽然从地上消失了。”

林仙儿不说话了。

黑衣人轻笑着道：“这两人的行踪实在太神秘了，表面上虽装作不会武功，但我绝不相信，只要姑娘再给我些日子，我一定能追查出他们的来历。”

林仙儿又沉默了半晌，才叹了口气，道：“不必了，我也知道你一定跟不住他们的，这件事你虽未做成，我也不怪你，等会儿我还有要求你帮忙的事。”

黑衣人这才松了口气，垂手站到一旁，也不敢多话了。

那脸圆圆的中年人这才向另两人抱了抱拳赔笑道：“失礼，失礼……”

他一面向轿子这边走过来，一面不停地打躬作揖。

林仙儿娇笑道：“做生意讲究的就是和气生财，你现在真不愧是个大老板的样子。”

这人一揖到地，满脸带着笑，道：“我只不过是姑娘手下的一个小伙计而已，姑娘若不赏饭吃，我就得卷铺盖，大老板这三字，我是万万不敢当的。”

林仙儿柔声道：“说什么老板，讲什么伙计，我的生意就是你的生意，只要好好地去做，这生意总有一天是你的。”

这中年人满面都起了红光，弯着腰笑道：“多谢姑娘，多谢姑娘……”

他一连谢了好几遍，才从怀中取出沓银票，双手捧了过去，道：“这里是去年一年赚的纯利，也开的是同福号的银票，请姑娘过目。”

林仙儿笑道：“真辛苦你了，我早就知道你不但老实可靠，而且人又能干……”

她早已将银票接了过去，一面说话，一面清点，说到这里，她口气忽然变了，再也没有丝毫笑容，冷冷道：“怎么只有六千两？”

中年人赔笑道：“是六千三百两。”

林仙儿道：“去年呢？”

中年人道：“九千四百两。”

林仙儿道：“前年呢？”

中年人擦了擦汗，讷讷道：“前年好像……好像有一万多。”

林仙儿冷笑道：“你本事可真不小，居然把买卖愈做愈回去了，照这样再做两年，咱们岂非就要贴老本了么？”

中年人不停地擦汗，吃吃道：“这两年不兴缎子衣服，府绸的赚头也不大，等到明年春天的时候，就一定会有转机了。”

林仙儿默然半晌，声音忽又变得很温柔，道：“这两年来，我知道你很辛苦，也该回家去享几年清福了。”

中年人面色骤然大变，颤声道：“可是……可是那边的生意……”

林仙儿道：“那边的生意我自然会找人去接，你也不用操心。”

中年人满面惊恐之色，痴痴道：“姑娘莫非……莫非要……”

他身子一步步往后退，话未说完，突然凌空一个翻身，飞也似的向暗林那边逃了出去。

但他刚逃几步，突见寒光一闪。

惨呼声中，血光四溅，他的人已倒了下去。

那蓝衫少年掌中已多了柄青钢长剑，剑尖犹在滴血。

那灰衣人瞧了他一眼，面上仍然不动声色，只是淡淡道：“好剑法。”

蓝衫少年连瞧都不瞧他一眼，将剑上的血渍在鞋底上擦了擦，挽手抖出了个剑花，“锵”的一声，剑又入鞘。

灰衣人静静地站着，也不说话了。

他等了很久，见到这蓝衫少年并没有和他抢先的意思，才微微拱了拱手，慢慢地向轿子前走了过去。

林仙儿也许早已知道这人不是两句好话就可以买动的，也没有跟他客气，一开口就问道："龙啸云已回了兴云庄？"

灰衣人道："已回去快半个月了，和他同行的除了胡不归胡疯子之外，还有个姓吕的，据说是'温侯银戟'吕凤先的堂弟，用的也是双戟，看样子武功也不弱。"

林仙儿道："那卖酒的驼子呢？"

灰衣人道："还在那里卖酒，这人倒真是深藏不露，谁也猜不透他的来历，龙啸云已到他那小店里去了两三次，看样子也还是一点结果都没有。"

林仙儿笑道："但我知道你……你必定已打听出一点来了，无论那人是什么变的，要瞒过你这双眼睛却困难得很。"

灰衣人笑了笑，缓缓道："若是我猜得不错，那驼子必定和说书的孙老头有些关系，说不定就是昔年那'背上一座山，山也压不倒'的孙老二。"

林仙儿似也觉得很惊异，又沉默了半晌，才轻轻道："你再去打听打听，明天……"

她声音愈说愈低，灰衣人只有凑过头去听，听了几句，他平平板板的一张脸上竟也露出了欢喜之色，点着头道："我知道……我记得……我先去了。"

他走的时候，步子也变得轻快起来了。

林仙儿的确有令男人服帖的本事。

黑衣人眼睛一直盯着那灰衣人，似乎恨不得给他一刀。

但这时林仙儿已又从轿子里伸出手，向他招了招。

春葱般的手，在夜色中看来更是莹白如玉。

黑衣人似又痴了，痴痴地走了过去。

林仙儿柔声道："你过来，我有话告诉你，后天晚上……"

她悄悄地在黑衣人耳畔说了几句话。

黑衣人满面都是喜色，不停地点头道："是，是，是，我明白，我怎会忘记？"

他走的时候，人似已长高了三尺。

等他走了，那蓝衫少年才走了过来，冷冷道：“林姑娘你倒真是忙得很。”

林仙儿叹了口气，道：“有什么法子呢？他们可不像你跟我……我总得敷衍敷衍他们。”

她又伸出手，握住了这少年的手，柔声道：“你生气了么？”

蓝衫少年板着脸，道：“哼。”

林仙儿痴痴笑道：“你瞧你，就像个孩子似的，快上轿子，我替你消气。”

蓝衫少年本来还想板着脸，却还是忍不住笑了。

就在这时，突听一声凄厉的惨呼……

声音是从树林里传出来的。

灰衣人本已走入了树林，此刻又一步步退了出来，他一步步往后退，鲜血也随着一滴滴往下落。

退出树林，他才转过身，想往轿子这边逃。

夜色中，只见他满面俱是鲜血，赫然已被人在眉心刺了一剑。

黑衣人也正想往树林里去，瞧见他这样子，脸色也变了，刚停住了脚，灰衣人已倒在他脚下。

他莫非在树林里遇见了鬼么？

杀人的厉鬼！

黑衣人情不自禁后退了几步，一伸手，拔出了靴筒里的匕首，眼睛转也不转地瞪着那黑黝黝的密林，嗄声道：“是什么人？”

树林里寂无人声，过了半晌，才慢慢地走出一个人来。

这人高而颀长，穿着件杏黄色的长衫，长仅及膝，头上戴着顶宽大的笠帽，紧压在眉际，遮去了面目。

他不但走路的姿态很奇特，佩剑的法子也和别人不同，只是随随便便地斜插在腰带上。

剑不长，还未出鞘。

这人看来也并不十分凶恶，但黑衣人一瞧见他，也不知怎地，全身都发起冷来，掌心也沁出了冷汗。

这人身上竟似带着种无声的杀气。

荆无命。

荆无命既然还活着，死的自然是李寻欢。

林仙儿笑了。

但她只是笑在心里，面上却像是怕得要命，将那蓝衣少年的手握得更紧，身子一直在不停地发抖，颤声道："这人好可怕，你知不知道他是谁？"

蓝衣少年勉强笑了笑，道："不管他是谁，有我在这里，你还怕什么？"

林仙儿透了口气，嫣然道："我不怕，我知道你一定会保护我的，只要在你身旁，就绝没有任何人敢来碰我一根手指。"

蓝衣少年挺起胸，道："对，无论他是谁，只要他敢过来，我就要他的命！"

其实他也已被荆无命的杀气所慑，手心里已在冒着冷汗，只不过他还年轻，在自己心爱的女人面前，死也不肯示弱的。

荆无命已走到那黑衣人面前。

黑衣人手里虽握着柄匕首，他用这柄匕首已不知杀过多少人了，但此刻也不知怎地，硬是不敢将这柄匕首刺出去。

他已看到了荆无命那双死灰色的眼睛。

荆无命却似乎根本连瞧都没有瞧他一眼，冷冷道："你手里这把刀能杀得死人么？"

黑衣人怔住了。

这句话问得实在有点令人哭笑不得，但别人既已问了出来，他也没法子不回答，只有硬着头皮道："自然能杀得死人的。"

荆无命道："好，来杀我吧。"

黑衣人又怔住了，怔了半晌，才勉强笑道："我与你无冤无仇，为何要杀你？"

荆无命道："因为你不杀我，我也要杀你。"

黑衣人不由自主后退了两步，脸上的冷汗一粒粒往下落，突然咬了咬牙，匕首已闪电般刺出。

兵器是一寸短，一寸险，他既然敢用这种短兵器，就必定有独特的招式，出手也自然不会慢。

但他的匕首刚刺出，剑光已飞起。

接着，就是一声惨呼，很短促，他的人已倒下，再看荆无命的剑已又回到鞘中，仿佛根本没有拔出来过。

“好快的剑！”

蓝衣少年也是使剑的名家，自己一向觉得剑法已很够快了，从来也不信世上还有人的剑法能比他更快。

直到现在他才相信。

林仙儿看到他眼角的肌肉在不停地跳动，忽然放开了他的手，道：“这人的出手太快，你……你还是快逃走吧，用不着管我。”

蓝衣少年若已有四五十岁，就一定会听话得很。一个人活到四五十岁时，就会懂得性命毕竟要比面子可贵得多，若有人说“生命固可贵，爱情价更高”，这话一定是年轻小伙子说出来的。

说这话的人一定活不到五十岁。

蓝衣少年咬着牙，嗄声道：“你用不着害怕，我跟他拼了！”

他口气还不十分坚决，也并没有冲过去的意思。

林仙儿眼波流动，道：“不……你不能死，你还有父母妻子，还是赶快逃回去吧，我替你挡着他，反正我只是孤零零一个人，死了也没关系。”

蓝衣少年突然大喝一声，冲了过去。

林仙儿又笑了。

一个女人若要男人为她拼命，最好的法子就是先让他知道她是爱他的，而且也不惜为他死。

这法子林仙儿已不知用过多少次，从来也没有失败过。

这一次不但心里在笑，脸上也在笑。

因为她知道这蓝衣少年永远也不会再看到了。

剑光如雪。

这蓝衣少年不但剑法颇高，用的也是把好剑。

刹那之间，他已向荆无命刺出了五剑，却连一句话也没有说，他早已看出无论说什么也没有用。

荆无命居然没有回手。

蓝衣少年这五剑明明都是向他要害之处刺过去的，也不知怎地，竟全都刺了个空。

荆无命忽然道：“你是点苍门下？”

蓝衣少年的手停住了，第六剑再也刺不出去，这人一双死灰色的眼睛仿佛根本就没有看他。

他实在不懂这人怎会看出他的师承剑法。

荆无命道：“谢天灵是你的什么人？”

蓝衣少年道：“是……是家师。”

荆无命道：“郭嵩阳已死在我剑下。”

他忽然无头无尾地说出这句来，好像前言不对后语。

但这蓝衣少年却很明白他的意思。

第五十章

温柔陷阱

谢天灵乃点苍掌门，号称天南第一剑客，平生纵横无敌，却曾在郭嵩阳手下败过三次，而且败得心服口服。

如今连郭嵩阳都已死在他剑下，谢天灵自然更不是他的敌手，谢天灵的弟子就更不必说了。

蓝衣少年的脸色变了。

无论谁都可看出荆无命绝不是个说大话的人。

荆无命道：“我一出手就可取你性命，你信不信？”

蓝衣少年咬着牙，不说话。

只见剑光一闪，荆无命的剑不知何时已出手。

冰凉的剑尖，不知何时已抵住了他的咽喉。

荆无命冷冷道：“我一出手就可取你性命，你信不信？”

蓝衣少年汗如雨下，嘴唇已咬得出血，嗄声道：“你为何不索性杀了我？”

荆无命道：“你想死？”

蓝衣少年大声道：“大丈夫死有何惧？你只管下手吧！”

他虽然拼命想装出视死如归的豪气，却装得并不太高明。

荆无命道：“我若不想杀你，你也想死么？”

蓝衣少年怔住了。

若是还能好好地活着，有谁会真的想死？

荆无命道：“我知道你本想为她而死，要她觉得你是个英雄，但你若真的死了，她还会喜欢你么？”

他冷冷接着道：“她若死了，你还会不会喜欢她？”

蓝衣少年说不出话来了。

他觉得那冰冷的剑锋已离开了他的咽喉。

他觉得自己就像是个呆子。

荆无命道："在女人眼中，一百个死了的英雄，也比不上一个活着的懦夫，这正如在你眼中，一百个死了的美人，也比不上一个活着的女人……这道理你难道还不明白？"

蓝衣少年擦了擦汗，勉强笑道："我明白了。"

荆无命道："现在你还想死么？"

蓝衣少年红着脸道："活着也没有什么不好。"

荆无命道："很好，你总算想通了。"

他冷冷接着道："我素来不喜多话，今日却说了很多，为的就是要你想通这道理……等你想通这道理，我才好杀了你。"

蓝衣少年骇然道："你要杀我？"

荆无命道："我从来只发问，不回答，只有对快死的人是例外。"

蓝衣少年道："可是……可是你既然要杀我，为何又要说那些话？"

荆无命道："因为我从不杀自己想死的人……你若本就想死，我杀了你也无趣得很。"

蓝衣少年狂吼一声，一剑划出。

他的吼声也很短促，因为他的手刚抬起，荆无命的剑已划入了他的嘴，那冰冷的剑锋就贴在他舌头上。

是咸的。

他毕竟尝到了死的滋味。

剑已入鞘。

荆无命有个很奇特的习惯，那就是他每次杀了个人后，一定将剑很快地插回剑鞘，就好像他已不打算再用了似的。

因为他知道别人看到他的剑还在鞘中时，总会比较疏忽大意些。

他喜欢疏忽大意的人，这种人死得通常都比较快。

林仙儿一直在瞧着他，仔细观察着他每一个动作，她目中一直带着温柔的笑意，就仿佛初恋的少女在瞧着自己的情人。

荆无命却始终没有向她这边瞧过一眼。

林仙儿已摆出了最动人的姿势，在迎接着他。

他已走了过来，却还是没有向她瞧上一眼。

林仙儿虽还在笑着，瞳孔却已收缩。

她已发觉有些不对了。

和她好过的男人若再见着她，那双眼睛一定会像饿猫般盯着她，但这男人却连眼角都未瞟过她，就好像她身上有毒一样。

林仙儿的腰肢扭动着，那两个年轻的轿夫眼睛早已发直了，根本未瞧见那比闪电还快的剑光。

他们的惨呼刚发出，荆无命的剑又入鞘。

他的人已到了林仙儿面前。

但他那双死灰色的眼睛，还是空空洞洞地凝视着远方。

远方是一片黑暗。

林仙儿轻轻叹了口气，道："你为什么不敢看我？难道怕看了我一眼后，就不忍杀我了么？"

荆无命嘴角的肌肉直抽搐，过了很久，才厉声道："你已知道我要来杀你？"

林仙儿慢慢地点了点头，道："我知道……一个人无论多冷酷、多无情，但要杀他自己所爱的人时，神色看来总会有些不同的。"

她凄然一笑，接着道："我只想问你一句话，我既然也快死了，你总该回答我吧？"

荆无命又沉默了很久，才冷冷道："你问吧，对将死的人，我从不说谎。"

林仙儿凝视着他的脸，一字字道："我只问你，是谁要你来杀死我的？为了什么？"

荆无命的手紧握，厉声道："没有别人，也没有理由。"

林仙儿道："一定有别人……要杀我的人，一定不是你自己。"

她笑了笑，笑得更凄凉、更美，然后才幽幽地接着道："我知道你爱我，绝不忍杀我。"

这"爱"字在别人嘴里说出，一定会令人觉得很肉麻，但在她嘴里说出，这一个字仿佛变成了音乐。

因为她在说这个字时，不但用她的嘴、她的舌头，还用了她的手、她的腿、她的腰肢、她的眼睛……

要说这“爱”字，并不是件容易的事，有些人不愿说，有些人不敢说，有些人一生也学不会该怎么样说。

世上只怕再也不会有人说得比她更好的了。

荆无命的手握得更紧，几乎已可听到他的骨节在响。

但他面上还是毫无表情，反而冷笑道：“你真的知道？你有把握？”

林仙儿道：“我有把握，你若不爱我，就不会杀死这些人了。”

荆无命居然没有打断她的话，反而在等着她说下去。

林仙儿道：“你杀他们，只因你在嫉妒。”

荆无命道：“嫉妒？”

林仙儿道：“只要碰过我的人，甚至看过我的人，你就想要他们的命，这就是嫉妒，就是吃醋，你若不爱我，怎么会吃醋？”

荆无命的脸色发白，冷冷道：“我只知道我要杀你，我要杀的人，就再也休想活下去！”

林仙儿道：“你若真要杀我，为什么连看都不看我？你不敢？”

荆无命的手紧紧握着剑柄，甚至在这种黯淡的灯光下，也可看出他脸上正在一粒粒地冒着汗。

冷汗。

林仙儿盯着他的脸，缓缓道：“你若连看都不敢看我，就算杀了我，也一定会后悔的。”

她试探着，慢慢地伸出了手。

荆无命没有动。

林仙儿的手终于握住了他的手，然后她的人也偎入了他怀里，她的手也从他手臂滑上他的胸膛，柔声道：“你自己若拿不定主意，就带我去见他吧。”

她的手指动得很灵巧，而且总知道应该在什么地方停住。

荆无命的呼吸和肌肉都已紧张，嗄声道：“你……你要去见谁？”

林仙儿道：“去见那要你来杀我的人，我一定可以让他改变主意……”

她咬着他的耳朵轻轻地接着道：“你放心，我绝不会让你后悔的。”

荆无命还是没有看她，却缓缓转过头，望着那黝黑的树林。

林仙儿眼珠子一转，悄悄道："他……他就在那树林里？"

荆无命没有回答，也已用不着回答。

林仙儿柔声道："好，我去见他，他若一定不肯放过我，你再杀我还来得及。"

荆无命等着她转过身，目光才终于投注在她的背影上，他那双死灰色的眼睛里，第一次有了感情。

是什么感情呢？是欢愉？是悲伤？还是悔恨？

这连他自己也分不清。

黝黑的树林里，看不到一点光。

林仙儿虽然走得并不快，还是几乎撞在一个人的身上。

这人站在那里，就像是一座山，冰山。

其实他的身材也不算十分高大，但看起来却令人觉得高不可攀。

林仙儿本来当然可以避开的，但她并没有这么样做，"嘤咛"一声，整个人已倒入了这人的怀里。

这人居然没有伸手去扶她。

林仙儿喘息着，自己站稳了，喘息着道："这里真黑……真对不起……"

她站得和这人距离还不到一尺，她相信这人一定可以嗅得到她的呼吸，她相信她的呼吸一定可令男人心动。

这人却只是缓缓道："你能令荆无命不杀你，用的就是这种法子？"

林仙儿眨着眼，道："要他杀我的人就是你？你就是上官帮主？"

这人道："不错，我可以告诉你，你这种法子，对我是没有用的。"

他的声音既不冷酷，也不阴森，只是平平淡淡的，绝不带丝毫感情，无论说什么话，都好像是在念书。

林仙儿眼波流动，道："那么，我要用什么法子，才能打动你呢？"

上官金虹道："你有什么法子，不妨都用出来试试。"

林仙儿道："我也知道你绝不会很容易就被女人打动的，但你为什么要荆无命杀我？"

上官金虹道："随时要杀人的人，就不能有感情，要训练出一个全无感情的人并不容易，我不能看着他毁在你手上。"

林仙儿笑了，道："但你若要他杀了我，你的损失就更大。"

上官金虹道："哦？"

林仙儿道："我自然比荆无命有用得多。"

上官金虹道："哦？"

林仙儿道："荆无命只会杀人，我也会杀人，他杀人还要用剑，还要流血，这已经落了下乘，我杀人非但看不见血，也用不着刀。"

上官金虹道："他杀人至少比你快。"

林仙儿道："快固然不错，但慢也有慢的好处，你说是么？"

上官金虹沉默了半晌，道："你除了会杀人外，还有什么好处？"

林仙儿道："我很有钱，我的钱已多得连数都数不清，多得可以要人发疯。"

上官金虹道："这好处的确不小。"

他声音里似已有了笑意，因为他很了解钱的用处。

林仙儿道："我当然也很聪明，可以帮你做很多事。"

上官金虹道："不错，你一定很聪明，笨人是绝不会有钱的。"

林仙儿道："除此之外，我当然还有别的好处……"

她声音忽然变得很低，很媚，媚笑着道："只要你是男人，很快就会知道我说的不假，只要你愿意，我这些好处，就全部都是你的。"

上官金虹又沉默了半晌，才一字字缓缓道："我是男人。"

树林里，已开始有雾。

荆无命全身已被雾水湿透。

他还是动也不动地站在那里，就像是已完全麻木。

雾很浓，什么都瞧不见。

是什么声音？是呻吟，还是喘息？

是林仙儿在笑，她娇笑着道："你果然是男人，而且像你这样的男人世上还不多……我真没有想到你会是这么样一个男人。"

上官金虹道："因为你是这样的女人，所以我才会是这样的男人。"

他的声音居然还是很平静，这倒的确不容易。

林仙儿道："但天已快亮了，我还是要回去了。"

上官金虹道："为什么？"

林仙儿道："因为有人在等我。"

上官金虹道："谁？"

林仙儿道："阿飞，你当然听说过他。"

上官金虹道："我只奇怪你为何还没有杀了他，你杀人的确太慢了。"

林仙儿道："我不能杀他，也不敢。"

上官金虹道："为什么？"

林仙儿道："因为我若杀了他，李寻欢就一定会杀死我！"

上官金虹忽然不说话了。

林仙儿叹了口气，道："我知道你也没有杀死李寻欢，否则也就不会要荆无命来杀我了，你就是要荆无命去对付李寻欢，所以才怕他变得软弱。"

上官金虹沉默了很久，道："你很怕李寻欢？"

林仙儿叹道："简直怕得要命。"

上官金虹道："他比我如何？"

林仙儿道："他比你还可怕，因为我可以打动你，却绝对无法打动他。"

她又叹了口气，接着道："他这人什么都不要，这就是他最可怕的地方。"

上官金虹："他也是人，他想必也有弱点。"

林仙儿道："他唯一的弱点就是林诗音，但我却也不敢用林诗音去要挟他。"

上官金虹道："为什么？"

林仙儿道："因为我没把握，只要他的刀在手，我无论做什么事都没把握。"

她长长叹息了一声，道："所以只要他活着，我就不敢动。"

上官金虹沉默了很久，缓缓道："你放心，他活不长的。"

第五十一章

奇峰迭起

雾淡了。

荆无命还是动也不动地站在那里，那双死灰色的眼睛，正茫然望着一滴露水自他的笠帽边缘滴落。

他似乎没有看到上官金虹一个人走出了树林。

上官金虹也没有瞧他一眼，不快不慢地从他面前走过，淡淡道："今天有雾，一定是好天气。"

荆无命默然半晌，缓缓道："今天有雾，一定是好天气。"

他终于转过身，不快不慢地跟在上官金虹身后，两人一前一后，终于都消失在淡淡的晨雾中。

这条街闹得很，几乎就和北平的天桥一样，什么样的玩意儿买卖都有，现在虽然还没到正午，但街道两旁已摆起各式各样的摊子，卖各式各样的零食，耍各式各样的把戏，等待着各式各样的主顾。

到了这里，铃铃的眼睛都花了，简直从来也没这么开心。

她毕竟还是个孩子。

李寻欢会带她到这里来逛街，她实在没想到。

"原来他也有些孩子气。"

看到李寻欢手里还拿着串糖葫芦，铃铃就忍不住想笑。

糖葫芦是刚买来的，买了好几串，鲜红的山楂上，浇着亮晶晶的冰糖，看来就像是一串串发光宝石。

没有一个女孩不爱宝石，铃铃吵着将刚做好的几串全买了下来，只可惜她只有两只手，拿不了这么多。

女孩子买东西，只会嫌少，绝不会嫌多的。

李寻欢只有替她拿着。其实他自己也买过糖葫芦，那自然已是很久很久以前的事了，那时他还不知道什么叫忧愁，什么叫烦恼。

现在呢？

现在他也没有空烦恼，他一直在盯着一个人，已盯了很久。

这人就走在他前面，身上背着个破麻袋，脚下拖着一双烂草鞋，头上压着顶旧毡帽，始终也没有抬起过头，就好像见不得人似的。

他走起路来虽然弯腰驼背，连脖子都缩了起来，但肩膀却很宽，若是挺直了腰，想必是条很魁伟的汉子。

无论如何，这人看来并没有什么特别，最多也只不过是个落魄失意的江湖客，也许只不过是个乞丐。

但李寻欢一看到他，就盯上他了。

他走到哪里李寻欢就盯到哪里，所以才会到这条街来。

奇怪的是，盯着他的，居然还不止李寻欢一个人。

李寻欢本来想赶过去瞧瞧他的脸，却忽然发现他后面还有个人一直在暗暗地尾随他。

这人很瘦，很高，脚步很轻健，穿的虽是套很普通的粗布衣服，但目光闪动间，精气毕露。

李寻欢一眼就看出他绝不是普通人。

他倒并没有留意李寻欢，因为他全副精神都已放在前面那乞丐身上。那乞丐走得快些，他也走得快些；那乞丐停下脚，他也立刻停下脚，装作在拍衣服，提鞋子，一双眼睛却始终未曾放松。

他看来正是个尾随盯梢的大行家。

这么样的一个人，为什么要盯着个穷乞丐呢？

李寻欢沉住了气，似乎一心想瞧个究竟。

他又是为了什么？

他和前面那乞丐又有什么关系？

那乞丐却似全不知道后面有人在尾随着他，只是弯着腰，驼着背，在前面慢慢地走着，从来也未曾回头。

路上有人给他钱，他就收下，没人给他钱，他也不讨。

铃铃眼珠子不停地转，忽然拉住李寻欢衣角，悄悄道：“我们是盯那要饭的梢么？”

这小姑娘倒真是个鬼灵精。

李寻欢只好点了点头，轻声道："所以你说话一定要小声些。"

铃铃眨着眼，道："他是什么人？为什么要盯他的梢？"

李寻欢道："你不懂的。"

铃铃道："就因为我不懂，所以才要问，你不告诉我，我就要大声问了。"

李寻欢叹了口气，苦笑道："因为他看来很像我一个多年不见的朋友。"

铃铃更奇怪了，道："你的朋友？难道是丐帮的门下？"

李寻欢道："不是。"

铃铃道："那么他是谁呢？"

李寻欢沉下了脸，道："我说出他的名字，你也不会知道。"

铃铃嘟起嘴，沉默了半晌，还是忍不住道："我们前面也有个人在盯着他，你看出来了没有？"

李寻欢笑了笑，道："你眼光倒不错。"

铃铃也笑了，又道："那人又是谁呢？也是你朋友的朋友？"

李寻欢道："不是。"

铃铃眼珠子又在转，道："不是他的朋友？难道是他的仇家？"

李寻欢道："也许……"

铃铃道："那么你为什么不去告诉他？"

李寻欢叹了口气，道："我那朋友脾气很奇怪，从不愿别人帮他的忙。"

铃铃道："可是他……"

这句话说了一半，她的嘴终于也闭上了。

因为这时她已在忙着用眼睛去瞧，她眼睛已瞧得发直。

这条街很长，他们走了很久，才走了一半。

那乞丐正走到一个卖馄饨的摊子前面。

离馄饨摊不远处，有个人正挑着担子在卖酒，几个人正蹲在担子前喝酒，其中还有个卖卜算命的瞎子，脸色似乎有些发青。

街对面，屋檐下，站着个青衣大汉。

一个卖油炸臭豆腐干的正挑着担子，往路前面走了过来。

另外还有个很高大的妇人，一直低着头站在花粉摊子前面买针线，此刻一抬头，才看出她眼睛已瞎了一只。

那乞丐刚走到这里……

卖酒的忽然放下担子。

喝酒的瞎子也立刻放下酒碗。

青衣大汉一步从屋檐下窜出。

独眼妇人一转身，几乎将花粉摊子都撞翻了。

再加上那一直盯在后面的瘦长江湖客，几个人竟忽然分成四面八方向那乞丐包围了过去。

那卖臭豆干的担子一横，正好挡住了那乞丐的去路。

街上虽不止这几个人，但这几人却无疑分外令人瞩目。

连铃铃都已看出不对了，李寻欢面上更不禁已变了颜色，他早就觉得这乞丐看来很像铁传甲，现在更毫无疑问。

他更不敢轻举妄动。

因为他知道这几人和铁传甲都有着不可化解的深仇大恨，这次出手，必已计划得极为周密，绝不容铁传甲再逃出他们的掌握，若知道有人出手救他，也许就会不顾一切，先置他于死地了。

李寻欢宁可自己死，也不能让铁传甲受到任何伤害，他生平只欠过几个人的情，铁传甲正是其中之一。

他绝不能损失铁传甲这个朋友。

就在这一瞬间，几个人已将那乞丐挤在中间。

寒光闪动，已有三柄利刃抵住了他的前心和后背，四下的人这才发觉是怎么回事，立刻纷纷散开。

谁也不愿卷入这种江湖仇杀的事件中。

只听那卖卜的瞎子冷冷道："慢慢地跟着我们走，一个字都不要说，明白了吗？"

那青衣大汉咬着牙，厉声道："你老老实实地听话，还可多活些时，若是敢乱打主意，咱们立刻就要你的命。"

那乞丐反应似乎迟钝已极，直到现在才点了点头。

独眼妇人用力在他肩上一推，咬着牙道："快走，还等什么？"

她不推也就罢了，这一推，几个人全都怔住了。

那乞丐头上的破毡帽已被推得跌了下来，露出了脸。

黄渗渗的一张脸，仿佛大病初愈，中间却有个红彤彤的酒糟鼻子，正咧开大嘴，瞧着这几人嘻嘻地傻笑。

这哪里是铁传甲，简直活脱脱像是个白痴。

李寻欢几乎忍不住要笑了出来。

那独眼妇人已气得全身都在发抖，厉声道："老五，这，这……是怎么回事？"

瘦长的江湖客脸色发绿，就像是见了鬼似的，颤声道："明明是铁传甲，我一直没有放开过他，怎么会……怎么会变……变了？"

青衣大汉恨恨跺了跺脚，反手一掌，掴在那乞丐脸上，大吼道："你是谁？究竟是谁？"

那乞丐手捂着脸，还是在傻笑，道："我是我，你是你，你为什么要打我？"

卖酒的汉子道："也许这厮就是铁传甲改扮的，先剥下他脸上一层皮再说。"

卖卜的瞎子忽然冷冷道："用不着，这人绝不是铁传甲。"

直到现在，只有他脸上还是冷冰冰的不动声色。

青衣大汉道："二哥听得出他的声音？"

瞎子冷冷道："铁传甲宁死也不会被你打一巴掌不回手的。"

他板着脸，缓缓接道："老五，你再想想，这是怎么回事？"

瘦长的江湖客脸上阵青阵白，道："这人一定是和铁传甲串通好了的，故意掉了包，将我们引到这里，好让那姓铁的乘机逃走。"

独眼妇人怒道："你是干什么的？怎会让他们掉了包？"

那江湖客垂下了头，道："也许……他上厕所的时候，我总不能……"

青衣大汉怒吼道："原来你和那姓铁的是同党，我宰了你。"

他抢着根扁担，就往那乞丐头上打了下去。

到了这时，李寻欢已不能不出手了。

无论这乞丐是不是真的痴呆，是不是铁传甲的朋友，他总算帮了铁传甲的忙，李寻欢总不能眼见着他被人打死。

何况，若想知道铁传甲的消息，也得从这人身上打听。

李寻欢的身子已滑了出去。

但他一步刚滑出，突又缩回，这一发一收，一动一静当真是变化如电，别人根本就未看出。

他已用不着出手。

只听“咯”的一声，那青衣大汉打下去的扁担突然凭空断成了两截，青衣大汉一下子打空，自己身子险些栽倒。

谁也没看清是什么东西将这根扁担打断的，每个人面上都不禁变了颜色，情不自禁各后退了半步，纷纷喝道：“是什么人敢多事出手？”

屋檐下一人淡淡道：“是我。”

大家一起随声望了过去，才发现说话的是个长身玉立的白衣人，正背负着双手，仰面观赏着挂在屋檐下的一排鸟笼。

笼中鸟语啁啾。

这白衣人似乎觉得鸟比人有趣多了，连眼角都未向这些寻仇的江湖客们瞧一眼。

他眼角也有了皱纹，但剑眉星目，面白如玉，远远看来仍是位翩翩浊世的佳公子，谁也猜不出他的年纪。

青衣大汉大吼道：“就是你这小子打断了我的扁担？”

白衣人这次连话都不说了。

青衣大汉、独眼妇人，纷纷怒喝着，似乎已想冲出去。

突听那卖卜的瞎子轻叱道：“停住！”

他已自地上拾起了锭银子，冷冷道：“这位公子虽打断了你的扁担，但这锭银子要买百把根扁担也多多有余，你不多谢人家，还敢对人家无礼？”

青衣大汉瞧瞧手里半根扁担，又瞧了瞧瞎子手里的银锭，似乎再也不信这文质彬彬的白衣人能用小小的一锭银子打断他的扁担。

白衣人忽然仰面大笑起来，朗声道：“好，想不到你这瞎子的眼睛竟比别的人都有用，这锭银子，就归你吧。”

卖卜的瞎子神色不变，冷冷道：“老朽眼睛虽瞎，心却不瞎，从不敢做昧心的事。”

他将银子在手里掂了掂，缓缓道：“扁担只要一钱银子一条，这锭银子却足足有十两重，公子就算要赔我们的扁担，也用不了这许多。”

他一面说话，一面将手里的银子搓成条银棍，左手一拗，拗下了一小块，冷冷接道：“这一钱银子老朽拜领，多下的还是物归原主！”

但见银光一闪，他的手一挥，三尺长的银棍已夹带着风声向白衣人刺出，用的赫然竟是武当“两仪剑法”中的一招妙招。

但见银光闪动，一招间已连刺白衣人前胸五六处大穴。

直等银棍刺到眼前，白衣人突然伸出中食两指在棍头一夹，他两根手指竟宛如精钢利劈，随手一剪，就将银棍剪下了一截。

白衣人淡淡笑道：“你剑法倒也不弱，只可惜太慢了些。”

他说一个字，手指一剪，说完了这句话，一根三尺长的银棍已被他剪成十六七节，“叮叮当当”落了满地。

铃铃远远瞧着，此刻也不禁倒抽了口凉气，悄悄道：“这人的手难道不是肉做的？”

别人看着那瞎子手里剩下的一小段银棍，一个个都已面如死灰，哪里还说得出半句话来。

白衣人又背负起双手，冷冷道：“银子我已送出，就是你的，你还不捡起来？”

卖卜的瞎子脸色更青得可怕，忽然弯下腰，将地上的银子一块块捡了起来，一言不发，扭头就走。

青衣大汉、独眼妇人们也垂着头，跟在他身后。

铃铃悄笑道：“来得威风，去得稀松，这些人至少还不愧为识时务的俊杰。”

李寻欢沉吟着忽然道：“你看到那边卖包子水饺的小吃铺了么？”

铃铃笑道：“不但早就看到了，而且早就想去尝尝。”

李寻欢道：“好，你就在那里等我。”

铃铃呆了呆，道：“你要去追那要饭的？”

那乞丐爬了起来，正笑嘻嘻地往前走，既没有过去向那白衣人道谢，也没有瞧别人一眼，刚才发生的事，似乎都与他无关。

李寻欢点了点头，道：“我有话要问他。”

铃铃的眼圈儿已有些红了，低着头道：“我不能陪你去么？”

李寻欢道：“不能！”

铃铃几乎已快哭了出来，道：“我知道，你又想甩开我了。”

李寻欢叹了口气，柔声道：“我也想吃水饺，怎么会不回来。”

铃铃咬着嘴唇，道：“好，我就相信你，你若骗我，我就在那里等你一辈子。”

那乞丐走得并不快。

李寻欢却也并不急着想追上他，这条街的人实在太多。

人多了说话有些不便，何况，他发觉那白衣人的眼睛竟一直在盯着他，仿佛忽然觉得他这人毕竟还是比鸟有趣得多。

李寻欢也很想仔细看看这白衣人，方才他露的那手“指剪银棍”的功夫，实在已引起了李寻欢的兴趣。

武林中像他这样的高手并不多。

事实上，李寻欢根本就想不出世上谁有他这样的指上功力——铃铃形容的话并不过分！

“这人的手指简直不像是肉做的。”

只要是练武的人，遇着这种身怀绝技的高手，不是想去和他较量较量，就是想去和他结交结交。

若换了平日，李寻欢也不会例外。

现在他却没有这种心情，他寻找铁传甲已有很久，始终也得不到消息，这一次机会他绝不能错过。

白衣人已向他走过来了，似乎想拦住他的去路。

幸好方才散开的人群现在又聚了过来，争着一睹那白衣人的风采，李寻欢就趁着这机会，挤出了人丛。

再抬头看时，那乞丐竟已走到街的尽头，向左转了过去。

左边的一条街，人就少得多了，也不太长。

李寻欢大步赶了过去，那乞丐竟已不见，一直走完这条街，再转过另一条街，竟还是瞧不见那乞丐的影子。

他怎会忽然失踪了？

李寻欢沉住了气，沿着墙角慢慢地向前走。

这条街上两旁都是人家的后门，前面一个门洞里，似乎蹲着个人，手里也不知拿着个什么东西，正在往自己身子上擦。

李寻欢还未看到他的人，已看到那顶破毡帽。

那乞丐原来躲到这里来了。

他在干什么？

李寻欢不想惊动他，慢慢地走了过去。

那乞丐还是吃了一惊，赶紧将手里的东西往背后藏。

只不过李寻欢的眼睛可比他的手快多了，早已看到他手里拿着的是一小段银子，显然就是方才那白衣人剪下来的，已被他擦得雪亮。

李寻欢笑了笑，道：“朋友贵姓？”

那乞丐瞪着他，道：“我不是你的朋友，你也不是我的朋友，我不认得你，你也不认得我。”

李寻欢还是微笑着，道：“我想向你打听一个人，那人你一定认得的。”

第五十二章

陷阱

那乞丐摇着头，道："我什么人也不认得，什么人也不认得我；我一个人也不认得，一个人也不认得我。"

这人果然有些痴痴呆呆，明明是很简单的一句话，他却要反反复复说上好几次，而且说话时嘴里就像是含着个鸡蛋似的，含糊不清。

李寻欢正想用别的法子再问问他时，他却已往李寻欢胁下钻了过去，一溜烟似的跑了。

他跑得很快，却绝不像是有轻功根基的人，天下的乞丐都跑得很快，这似乎早已变成乞丐的唯一本事。

但李寻欢自然比他还要快得多。

那乞丐一面跑，一面喘着气，道："你这人想干什么？想抢我的银子？"

李寻欢笑了笑，忽然一伸手，竟真的将他握在手里的银子抢了过来。

那乞丐大叫道："不得了，不得了，有强盗在抢银子呀！"

幸好这条路很僻静，不见人踪，否则李寻欢倒真不知该怎么办才好，若连乞丐的银子都要抢，岂非变成了第八流的强盗。

那乞丐叫的声音更大，道："快把银子还给我，不然我跟你拼命。"

李寻欢道："只要你回答我几句话，我不但将这点银子还给你，还送你一锭大的。"

那乞丐眨着眼，似乎考虑了很久，才点头道："好，你要问我什么？"

李寻欢道："你可是铁传甲的朋友？"

那乞丐摇头道："我没有朋友……穷要饭的都没有朋友。"

李寻欢道："那么，你为何要帮他的忙？"

那乞丐头摇得更快，道："谁的忙我也不帮，谁也没帮过我的忙。"

李寻欢沉吟着，道："你今天难道没有见到过一个身材很高大、皮肤很黑、脸上长着络腮大胡子的人么？"

那乞丐想了想，道："我好像看到过一个。"

李寻欢大喜道："你在哪里看到他的？"

那乞丐道："在茅房里。"

李寻欢道："茅房？"

那乞丐道："茅房就是大便的地方，我正在大便，那小子忽然闯了进来，问我想不想赚几斤酒喝。"

李寻欢笑道："谁不想赚几斤酒喝？"

那乞丐道："但我看那小子穿得比我还破烂，哪里像有钱买酒给我喝的样子。"

李寻欢笑道："愈有钱的人，愈喜欢装穷，这道理你不明白？"

那乞丐也笑了，道："一点也不错，那小子果然有锭银子，而且还给我看了，我就问他要我怎么样才能赚得到这锭银子。"

李寻欢道："他怎么说？"

那乞丐笑道："我以为他一定有什么稀奇古怪的花样，谁知他只是要我跟他换套衣服，然后低着头走出去，千万不要抬头。"

李寻欢笑道："这银子赚得倒真容易。"

他这次真是往心里笑出来的，像铁传甲那样的人，现在居然也会用这"金蝉脱壳"之计了，实在是令人欢喜。

那乞丐笑得更开心，道："是呀，所以我看那小子一定有毛病。"

李寻欢笑道："我也有毛病，我的银子比他的更好赚。"

那乞丐道："真的？"

李寻欢把身上所有的银子都拿了出来——他将家财分散的时候，铁传甲坚持为他留下了些生活的必需费用。

这些年来，他就是以此度日的，否则他莫说喝酒，连吃饭都要成问题，这也是他要感激铁传甲的许多种原因之一。

那乞丐望着他手里的银子，眼睛都直了。

李寻欢微笑道："只要你能带我找到那有毛病的小子，我就将这些银子都给你。"

那乞丐立刻抢着道："好，我带你去，但银子你却一定要先给我。"

李寻欢立刻用两只手将银子捧了过去。

只要能找得到铁传甲，就算要他将心捧出来，他也愿意。

那乞丐笑得连口水都流了出来，一面将银子手忙脚乱地往怀里揣，一面嘻嘻地笑着道："我看你这银子一定是偷来的，否则怎会如此轻易就送人？"

他抢银子的时候，自然难免要碰到李寻欢的手。

他的手刚碰到李寻欢的手，五指突然一搭、一勾——

李寻欢只觉手腕上像是突然多了道铁箍。

接着，他的人竟被拎了起来！

这乞丐不但出手快得骇人，这一搭、一勾，两个动作中，竟包藏了当代武林中四种最可怕的武功。

他手指刚搭上李寻欢手指时，就使出了内家正宗"沾衣十八跌"的内力，无论任何人被他沾着，都再也休想甩开。

接着，他就使出了传自武当的"七十二路擒拿手"，搭住了李寻欢的脉门，无论任何人的脉门被他扣住，真力就再也休想使得出。

然后，他再以"分筋错骨手"错开李寻欢的筋骨。

最后他那一招，用的却是塞外摔跌的手法，无论任何人只要被他拎起、摔下，就再也休想爬得起来。

这四种功夫有的是少林正宗，有的是武当真传，有的是内家功夫，有的是外家功夫，但无论哪一种，都不是轻易可以学得到的。就算能学到，也不容易练成；就算能练成，至少也得下十年八年的苦功。

这乞丐却将每种功夫都练得炉火纯青，有十足的火候。

李寻欢就算已看出他不是常人，却也绝对看不出他是这样的高手；就算知道他身怀武功，却也绝对想不到他会暗算自己。

李寻欢这一生中，从来也没有如此吃惊过。

李寻欢竟像条死鱼般被摔在地上，摔得他两眼发花，几乎晕了过去。等他眼前的金星渐渐消散时，他瞧见那乞丐的脸就在他面前，正蹲在他身旁，用一只手扼住了他咽喉，笑嘻嘻瞧着他。

“这人究竟是谁？为什么要暗算我？”

“难道他早已认出我是谁了？”

“他和铁传甲又有什么关系？”

李寻欢心里虽然有很多疑问，却连一句也没有问出来。

在这种情况下，他觉得自己还是闭着嘴好些。

那乞丐却开口了，笑嘻嘻道：“你为什么不说话？”

李寻欢笑了笑，道：“阁下的脖子若被人扼住，还有什么话好说？”

那乞丐道：“若有人暗算了我，又扼住了我的脖子，我一定要将他祖宗八代都骂出来。”

李寻欢道：“我眼睛并没有瞎，却未看出阁下是身怀绝技的武林高手，要骂也只能骂我自己。”

那乞丐笑了，摇着头笑道：“你果然是个怪人，像你这样的怪人我倒未见过……你再说两句，我就只怕要脸红了！”

他忽然大声道：“这人不但是个君子，而且还是个好人，这种人我一向最吃不消，你们再不出来，我可不管了。”

原来他还有同党。

李寻欢实在猜不出他的同党是谁，只听“呀”的一声，旁边的一道小门忽然开了，走出了六七个人来。

看到这几人，李寻欢才真的吃了一惊。

他永远想不到这几人也是那乞丐的同党。

原来这件事从头到尾都是他们早已计划好的圈套。

第一个从小门里走出来的，竟是那卖卜的瞎子。

接着，就是那独眼妇人、青衣大汉、卖臭豆干的小贩……

李寻欢叹了口气，苦笑道：“妙计妙计，佩服佩服。”

瞎子面上仍是毫无表情，冷冷道：“不敢。”

李寻欢道：“原来这件事根本就和铁传甲全无关系。”

瞎子缓缓道：“关系是有的，只不过……”

那乞丐抢着道：“只不过我从来未曾见过铁传甲，也不知道他是何许人也，方才找他们演了那出戏，完全是为了要你看的。”

李寻欢苦笑道：“那倒的确是出好戏。”

瞎子道：“戏倒的确是出好戏，否则又怎能叫李探花上当？”

李寻欢道：“原来各位非但早就知道我是谁了，而且还早已见到了我。”

瞎子道：“阁下还未入城，已有人见到了阁下。”

李寻欢道：“各位怎会认得我的？”

瞎子道：“在下等虽不认得你，却有人认得你。”

李寻欢道：“各位既然不认得我，为何对我如此照顾？”

瞎子道：“为的就是铁传甲。”

他冷漠的脸上忽然露出一丝怨毒之意，接着道：“在下等对他都想念得很，只苦找不到他，但他若知道李探花也和在下等在一起，就会不远千里而来与我等相见了。”

李寻欢笑了笑，道：“他若不来呢？各位岂非白费了心机？”

瞎子冷冷道：“他的事你绝不会不管，你的事他也绝不会置之不理，两位的关系，在下等早已清楚得很，否则又怎会定下此计？”

李寻欢淡淡笑道：“阁下能想得出这样的妙计，倒也真不容易。”

瞎子沉默了半晌，缓缓道：“在下若有如此智谋，这双眼睛只怕也就不会瞎了。”

李寻欢道：“定计的人不是你？”

瞎子道：“不是。”

那乞丐笑道：“也不是我，我脑袋一向有毛病，一想到要害人，就会头疼。”

李寻欢默然半晌，道：“原来各位幕后还另有主谋之人……”

瞎子道：“你也用不着问他是谁，反正你总会见着他的。”

他手中竹杖一扬，已点了李寻欢左右双膝的“环跳”穴，冷冷接着道：“你见着他时，也许就会觉得活在世上根本就是多余的，不如还是早些死了的好。”

门虽小而墙高。

门内庭院深沉，悄无人声。

穿曲径走回廊，走了很久，才走到前厅。

只听屏风后一人朗声笑道：“各位已将我那兄弟请来了么？”

一听到这声音，李寻欢连指尖都已冰冷。

这赫然竟是龙啸云的声音。

主谋定计的人，竟是龙啸云。

瞎子在屏风前就已停住了脚，沉声道：“在下等幸不辱命，总算已将李探花请来了。”

话未说完，屋后已抢步走出了一个人来，鲜衣华服，满面红光，不是一别经年的龙啸云是谁？

他一冲出来，就紧紧握住了李寻欢的手，笑道：“一别又是两年，兄弟你可想煞大哥我了。”

李寻欢也笑了，道：“大哥若是想见我，只要吩咐一声，我立刻就到，又何必劳动这么多朋友的大驾呢？”

那乞丐忽然大笑了起来，拍手道：“说得好，说得好，连我的脸都被你说红了，听了这话能面不改色的人，我真是佩服得很。”

龙啸云却像是忽然变成了聋子，他们说的话，他竟似连一个字都没有听见，还是握着李寻欢的手，道：“我早已算准了兄弟你一定会来，早已准备好接风的酒，你我兄弟多年不见，这次可得痛痛快快地喝几杯。”

他一面抢着扶起了李寻欢，一面含笑揖客，道：“各位快请入座，请，请。”

瞎子的脚却像是已钉在地上了。

他不动，他的兄弟自然也不会动。

龙啸云笑道：“各位难道不肯赏光么？”

瞎子缓缓道：“在下等答应龙大爷做这件事，为的完全是铁传甲，如今在下等任务已了，等那铁传甲来时，只望龙大爷莫要忘记通知一声。”

他沉下了脸，冷冷接着道：“至于龙大爷的酒，在下等万万不敢叨扰，龙大爷这样的朋友，在下等也是万万高攀不上的。”

他竹杖点地，竟头也不回地走了出去。

大厅中果然已摆起了一桌酒。

菜是珍肴，酒是佳酿，龙四爷请客的豪爽，是江湖闻名的。

那乞丐也不客气，抢先往首席上一坐，喃喃道："老实说，我本来也想走的，但放着这么好的酒菜，不吃岂非可惜。"

他忽然向李寻欢举了举杯，又道："你也喝一杯吧，这种人的酒你不喝也是白不喝，喝了也是白喝。"

龙啸云摇着头笑道："这位胡大侠，兄弟你只怕还不认得……"

李寻欢道："胡大侠？台甫莫非是'不归'二字？"

那乞丐笑道："一点也不错，胡不归就是我！你嘴里虽称我胡大侠，心里一定在想：哦，原来这人就是胡疯子，难怪做事说话都有些疯疯癫癫的……是不是？"

李寻欢笑了笑，道："是。"

胡不归大笑道："好，你这人有意思，看来只怕也是个疯子……你若不疯，也不会跟龙啸云这样的人交上朋友了，是不是？"

李寻欢微笑不语。

胡不归道："但你千万莫要以为我也是他的朋友，我帮他这次忙，只因为我欠过他的情，这件事做完，我和他就再也没有半点关系。"

他忽然一拍桌子，又道："只不过这件事做得实在有欠光明，实在丢人，实在差劲，实在不是东西，实在混账已极……"

说着说着，他竟给了自己十七八个耳刮子，又伏在桌上大哭起来。龙啸云似乎早已见怪不怪，居然充耳不闻，视若无睹。

李寻欢反倒觉得有些过意不去了，笑道："无论如何，胡兄最后那出手一击，我纵有防备，也是万万闪避不开的。"

胡不归突又一拍桌子，大怒道："放屁放屁，简直是放屁，我若不用奸计，哪里能沾得着你，我害了你，你反来安慰我，你这是什么意思？"

李寻欢只有不说话了。

胡不归喃喃道："我这人神魂不定，喜怒无常，黑白不分，颠三倒四，说哭就哭，说笑就笑，实在他妈的不是东西。"

他忽然瞪起眼睛，瞪着龙啸云道："但你却比我更不是东西，你儿子比你还不是东西，他明明有两条腿，却要学狗在地上爬，难道想在桌子下面捡骨头吃么？"

龙啸云脸上也不禁红了红，低下头一看，龙小云果然已偷偷钻到桌下，手里还拿着把刀，已爬到李寻欢面前。

龙啸云一把将他揪了出来，沉着脸道："你想干什么？"

龙小云居然神色自若，从容道："大丈夫恩怨分明，这句话你老人家说对不对？"

龙啸云道："自然是对的。"

龙小云道："江湖英雄讲究的也是有仇必报，有恩必偿。他废去了孩儿一身武功，令孩儿终生残废，孩儿想要他两条腿，也是天经地义的。"

龙啸云脸色已有些发青，道："你想复仇，是么？"

龙小云道："不错。"

龙啸云厉声道："但你可知道他是谁么？"

龙小云道："我只知道他是我的仇人……"

这句话还未说完，龙啸云的手已掴在他脸上，怒道："但你可知他是你父亲的八拜之交？他无论怎么教训你，都是应该的，你怎可对他有复仇之心？怎敢对他无礼？"

龙小云被打得呆了半晌，眼珠子一转，忽然向李寻欢跪了下去，道："侄儿已知道错了，侄儿年纪还小，李大叔千万莫要和侄儿一般见识，就饶了侄儿这一次吧。"

李寻欢满腹辛酸，正不知该说什么，胡不归已跳了起来，大叫道："这父子两人我实在受不了，我想吐，想吐……"

他嘴里大呼大叫，人已冲了出去。

第五十三章

骗局

龙啸云勉强一笑，道：“一个人的名字也许会起错，但外号却是绝不会起错的。有的人明明其笨如牛，也可以起个名字叫聪明，但一个人的外号若是疯子，他就一定是个疯子。”

李寻欢本来不想说话的，却忍不住道：“但一个人若是太聪明了，知道的事太多，也许慢慢就会变成个疯子。”

龙啸云道：“哦？”

李寻欢苦笑道：“因为到了那种时候，他就会觉得做了疯子就会变得快乐些，所以有些人最大的痛苦就是他明明想做疯子，却做不到。”

龙啸云又笑了，道：“幸好我一向不是个聪明人，也永远不会有这种烦恼。”

他当然不会有这种烦恼，他根本不会有任何一种烦恼。

因为他已将各种烦恼全都给别人了。

李寻欢沉默了很久，低着头，慢慢地喝了杯酒。

龙啸云只是静静地瞧着，等着。

因为他知道李寻欢酒喝得很慢的时候，心里一定有句很重要的话要说。

又过了很久，李寻欢才抬起头，道：“大哥……”

龙啸云道：“嗯。”

李寻欢果然道：“我心里一直有句话要说，却不知该不该说出来。”

龙啸云道：“你说。”

李寻欢道：“无论如何，我们已是多年的朋友。”

龙啸云道：“不是朋友，是兄弟。”

李寻欢道：“我是个怎么样的人，大哥你也该早已明白。”

龙啸云道："是——"

虽然只说了一个字，却说得很慢、很慢，而且目中还似乎带着些惭愧。

他毕竟也是个人。

无论什么样的人，多少总有些人性。

李寻欢道："那么，大哥你无论要我做什么，都该当面对我说明才是，只要我能做到的，我一定会去想法子做到。"

龙啸云慢慢地举起酒杯，仿佛要用酒杯挡住自己的脸。

李寻欢为他做的，实在已太多了。

过了很久，他才长长叹了口气，缓缓道："我明白你的意思，可是……时间有时会改变许多事。"

李寻欢目中的痛苦之色更重，黯然道："我也知道大哥你对我有些误会……"

龙啸云道："误会？"

李寻欢道："是误会，完全是误会，但有些事，大哥你本不该误会我的。"

龙啸云目中突也露出了一丝痛苦之色，沉默了很久，才一字字缓缓道："但也有件事我绝没有误会。"

李寻欢道："哪件事？"

这句话问出来，他已后悔了。

因为他已知道龙啸云说的是哪件事。

他本就该知道的，可怕的是，龙小云这十来岁的孩子，居然也像是猜出了他父亲要说的是什么了，弯着腰，悄悄退了出去。

龙啸云又沉默了很久，道："我知道你这些年来一直都很痛苦。"

李寻欢勉强笑了笑，道："大多数人都有痛苦。"

龙啸云道："但你的痛苦比别人都深得多，也重得多。"

李寻欢道："哦？"

龙啸云道："因为你将你最心爱的人，让给了别人做妻子。"

杯中的酒泼出，因为李寻欢的手在抖。

龙啸云道："但你的痛苦还不够深，因为一个人若是肯牺牲自己，成全别人，他就会觉得自己很伟大，这种感觉就会将他的痛苦减轻。"

这话不但很尖锐，而且也不能说没道理。

只不过这种道理并不是“绝对”的。

龙啸云的手也在抖，道：“真正的痛苦是什么，也许你还不知道。”

李寻欢道：“也许……”

龙啸云道：“当一个男人知道他的妻子原来是别人让给他的，而且他的妻子一直还是在爱着那个人，这才是最大的痛苦！”

这的确是最大的痛苦。

不但是痛苦，而且还是种羞辱。

这种话本是男人死也不肯说出来的，因为这种事对他自己的伤害实在太大、太深、太重！

没有人能忍心对自己如此羞辱，如此伤害。

但龙啸云现在却将这种事说了出来，在李寻欢面前说了出来。

李寻欢的心在往下沉。

他从龙啸云的这句话中，发现了两件事。

第一，龙啸云的确也很痛苦，而且痛苦也很深，所以他才会变，变得这么厉害，若是换了别的男人，或许也会变成这样子的。

李寻欢忽然觉得他也是个很可怜的人。

可怜的人，做出来的事往往就会很可怕。

第二，龙啸云既已在他面前说出了这种话，只怕就绝不会再放过他。

生死之间，李寻欢看得本很淡。

但现在他能死么？

话说得并不多。

但每句话都说得很慢，而且每句话说出来之前，都考虑得很久，停顿得很久。

是阴天，天很低。

所以虽然还没到掌灯的时候，天色已不知不觉很暗了。

龙啸云的面色却比天色还暗。

他举起酒杯，又放下，举起，再放下……

他并不是不能喝酒，而是不愿喝，因为他觉得喝酒会使人变得冲动，最冷酷的人，若是冲动起来，也会变得有些感情了。

又过了很久，龙啸云才终于缓缓道："今天我说的话，本是不该说的。"

李寻欢淡淡地笑了笑，道："每个人偶尔都会说出一些他不该说的话，否则他就不是人了。"

龙啸云道："今天我请你来，也不是为了要说这些话。"

李寻欢道："我知道。"

龙啸云道："你可知道我请你来是为了什么？"

李寻欢道："我知道。"

龙啸云第一次露出了惊讶之色，动容道："你知道？"

李寻欢又重复了一句，道："我知道。"

他没有等龙啸云再问，接着又道："你认为兴云庄园中真有藏宝？"

龙啸云这次考虑得更久，才回答了一个字。

"是。"

李寻欢道："你认为我知道藏宝在哪里？"

龙啸云道："你应该知道。"

李寻欢笑了笑，道："我这人一向有个毛病……"

龙啸云道："毛病？什么毛病？"

李寻欢道："我的毛病就是不该知道的事我全知道，该知道的我反而不知道。"

龙啸云的嘴闭上了。

李寻欢道："其实你也应该知道，这件事从头到尾就是个骗局……"

龙啸云突然打断了他的话，道："我相信你，因为我知道你绝不会说谎。"

他凝视着李寻欢，缓缓道："若说这世上还有一个我可以信任的人，那人就是你；若说这世上我还有一个朋友，那人也是你。我说的任何话也许都是假的，但这句话却绝不是骗你。"

李寻欢也在凝视着他，长长叹息着，道："我也相信你，因为……"

他没有说完这句话，又不停地咳嗽起来。

等他咳完了，龙啸云才替他接了下去，道："你相信我，因为你知道你已没有被我利用的价值，我已不必再骗你，是不是？”

李寻欢以沉默回答了这句话。

龙啸云站了起来，慢慢地踱了两个圈子。

屋子里很静，他的脚步声却愈来愈重，显见他的心也有些不安——也许只不过是故意让李寻欢觉得他的心很不安。

然后，他突然停下脚步，停在李寻欢面前，道：“你一定认为我会杀你。”

李寻欢的神情很平静，平静得令人无法想象，淡淡道：“无论你怎么样做，我都不怪你。”

龙啸云道：“但我绝不会杀你。”

李寻欢道：“我知道。”

龙啸云道：“不错，你当然知道，你一向很了解我。”

他突又变得有些激动，接着道：“因为我纵然杀了你，也挽不回她的心，只有令她更恨我。”

李寻欢长长叹了口气，道：“人生中本有些事是谁也无可奈何的。”

“无可奈何。”这四字看来虽平淡，其实却是人生中最大的悲哀，最大的痛苦。

遇着了这种事，你根本无法挣扎，无法奋斗，无法反抗，就算你将自己的肉体割裂，将自己的心也割成碎片，还是无可奈何。

就算你宁可身化成灰，永堕鬼狱，还是挽不回你所失去的——也许你根本就永远未曾得到。

龙啸云的拳紧握，声音也嘶哑，道：“我虽不杀你，也不能放你。”

李寻欢慢慢地点了点头。

“因为我还有被你利用的价值。”

但这句话他并没有说出来。

无论龙啸云如何伤害他，出卖他，但直到现在，他还没有说过一句伤害到龙啸云的话。

龙啸云的拳反而握得更紧，因为只有在李寻欢面前，他才会觉得自己的渺小，自己的卑贱。

所以李寻欢那种伟大的友情非但没有感动他，反而会使他更愤怒。

他紧握着拳，瞪着李寻欢，缓缓道："我要带你去见一个人，这人早就想见你了，你……你或许也很想见他。"

屋子很大。

这么大的屋子，只有一个窗户，很小的窗户，离地很高。

窗户是关着的，看不到窗外的景色。

门也很小，肩稍宽的人，就只能侧着身子出入。

门也是关着的。

墙上漆着白色的漆，漆得很厚，仿佛不愿人看出这墙是石壁，是土，还是铜铁所筑。

角落里有两张床。

木床。

床上的被褥很干净，却很简朴。

除此之外，屋里就只有一张很大的桌子。

桌上堆满了各式各样的账册、卷宗。

一个人正站在桌子前翻阅着，不时用朱笔在卷宗上勾画、批改，嘴里偶尔会露出一丝得意的笑容。

他是站着的。

因为屋里没有椅子，连一张椅子都没有。

他认为一个人只要坐下来，就会令自己的精神松弛，一个人的精神若松弛，就容易造成错误。

一点微小的错误，就可能令数件事失败——这正如堤防上只要有一个很小的裂口，就可能崩溃。

他的精神永不松弛。

他永无错误。

他从未失败。

还有个人站在他身后。

这人的身子站得更直、更挺，就像是枪杆。

他就这样站着，也不知站了多久，连一根手指都没有动过。

也不知从哪里飞来一只蚊子，在他眼前飞来飞去，打着转。

他眼睛连瞬都未瞬。

蚊子停留在他鼻尖上，开始吸血。

他还是不动。

他整个人似已完全麻木，既不知痛痒，也不知哀乐。

他甚至不知道自己是为什么活着的。

第五十四章

交 换

这两人自然就是荆无命和上官金虹。

像他们这样的人，世上也许还找不出第三个。

江湖中声名最响，势力最大，财力也最雄厚的“金钱帮”帮主，住所竟如此粗陋，生活竟如此简朴。

这简直是谁也无法想象的事。

因为金钱在他眼中只不过是种工具，女人也是工具。

世上所有的享受在他眼中都是种工具，他完全不屑一顾。

他唯一的爱好就是权力。

权力，除了权力外，再也没有别的。

他为权力而生，甚至也可以为权力而死。

静。

除了翻动书册时发出的沙沙声之外，就没有别的声音。

灯已燃起。

他们在这里，已不知工作了多久，站了多久，只知道窗外的天色已由暗而明，又由明而暗。

他们似乎永远不知道疲倦，也觉不出饥饿。

这时门外突然有了敲门声。

只有一声，很轻。

上官金虹手没有停，也没有抬头。

荆无命道：“谁？”

门外应声道：“一七九。”

荆无命道：“什么事？”

门外人道："有人求见帮主。"

荆无命道："是什么人？"

门外人道："他不肯说出姓名。"

荆无命道："为什么事求见？"

门外人道："他也要等见到帮主之面时才肯说出来。"

荆无命不说话了。

上官金虹忽然道："人在哪里？"

门外人道："就在前院。"

上官金虹手未停，头未抬，道："杀了他！"

门外人道："是。"

上官金虹突又问道："人是谁带来的？"

门外人道："第八舵主向松。"

上官金虹道："连向松一起杀！"

门外人道："是。"

荆无命道："我去！"

这两字说出，他的人已在门口，拉开门，一闪而没。

要杀人，荆无命从不落后，何况，向松号称"风雨流星"，一双流星锤在"兵器谱"中排名十九，要杀他并不容易。

来找上官金虹的是谁？

找他有什么事？

上官金虹竟完全不在意，这人竟连一丝好奇心都没有。

这人实已没有人性。

他的头还是未抬，手还是未停。

门开，荆无命一闪而入。

上官金虹并没有问"死了么？"

因为他知道荆无命杀人从不失手。

他只是说："去！向松若未还手，送他家属黄金万两；向松若还手，灭他满门。"

荆无命道："我没有杀他。"

上官金虹这才霍然抬头，目光刀一般瞪着他。

荆无命面上毫无表情，道："因为他带来的人，我不能杀。"

上官金虹厉声道："世人皆可杀，他为何不能杀？"

荆无命道："我不杀孩子。"

上官金虹似也怔住，慢慢地放下笔，道："你说要见我的人只是个孩子？"

荆无命道："是。"

上官金虹道："是个怎么样的孩子？"

荆无命道："是个残废的孩子。"

上官金虹日中射出了光，沉吟着，终于道："带他进来！"

居然会有孩子来求见上官金虹，这种事简直连上官金虹自己都无法相信——这孩子若非太大胆，就是太疯狂。

但来的确是个孩子。

他脸色苍白，几乎完全没有血色。

他目中也没有孩子们的明亮光彩，目光呆滞而深沉。

他行走得很慢，背也是佝偻着的。

这孩子看来就像是个老人。

这孩子竟是龙小云。

无论谁见到龙小云这样的孩子都忍不住要多瞧几眼的。

上官金虹也不例外。

他的目光就像是刀锋般射在龙小云脸上。

无论谁见到上官金虹这种锋利逼人的目光，纵不发抖，也会吓得两腿发软，说不出话来。

龙小云却是例外。

他慢慢地走进来，躬身一礼，道："晚辈龙小云，参见帮主。"

上官金虹目光闪动，道："龙小云？龙啸云是你的什么人？"

龙小云道："家父。"

上官金虹道："是你父亲叫你来的？"

龙小云道："是。"

上官金虹道："他自己为何不来？"

龙小云道："家父若来求见，非但未能见帮主之面，而且还可能有杀身之祸。”

上官金虹厉声道：“你认为我不会杀你？”

龙小云道：“三尺童子，性命早已悬于帮主指掌之间，帮主非不能杀，乃不屑杀。”

上官金虹面色居然缓和了下来，道：“你年纪虽小，身体虽弱，胆子倒不小。”

龙小云道：“一个人若有所求，无论谁的胆子都会大的。”

上官金虹道：“说得好。”

他忽然回头向荆无命笑了笑，道：“你只听他说话，能听得出他是个孩子么？”

荆无命面上全无表情，冷冷道：“我没有听。”

上官金虹凝视着他，面上那一丝难见的笑容突然冻结。

龙小云虽然垂着头，却一直在留意着他们的表情，对这两人之间的关系似乎很感兴趣。

上官金虹终于开了口，缓缓道：“不说话，是你最大的长处，不听人说话，却可能是你的致命伤。”

荆无命这次索性连话都不说了。

又沉默了很久，上官金虹才回过头，道：“你们求的是什么事？”

龙小云道：“每件事都有很多种说法，晚辈本也可将此事说得委婉些，但帮主日理万机，晚辈不敢多扰，只能选择最直接的说法。”

上官金虹道：“很好，对付说话啰唆的人，我只有一种法子，那就是将他的舌头割下来。”

龙小云道：“晚辈此来，只是要和帮主谈一笔交易。”

上官金虹道：“交易？”

他脸色更冷，缓缓道：“以前也有人和我谈过交易，你可愿知道我对付他们的法子？”

龙小云道：“晚辈在听着。”

上官金虹道：“我对付他们，也只有一种法子，乱刀分尸！”

龙小云神色不变，淡淡道：“但这交易却和别人不同，否则晚辈也不敢来了。”

上官金虹道：“交易就是交易，有何不同？”

龙小云道：“这交易对帮主有百利而无一害。”

上官金虹道：“哦？”

龙小云道：“帮主威震天下，富可敌国，世上所有的东西，帮主俱可予取予求。”

上官金虹道：“确是如此，所以我根本不必和人谈交易。”

龙小云道：“但世上还是有样东西，帮主未必能得到。”

上官金虹道：“哦？”

龙小云道：“这样东西本身价值也许并不高，但在帮主说来，就不同了。”

上官金虹道：“为什么？”

龙小云道：“因为世上只有得不到的东西，才最珍贵。”

上官金虹道：“你说那是什么？”

龙小云道：“李寻欢的命。”

上官金虹冷漠的目光突然变得炽热，厉声道：“你说什么？”

龙小云道：“李寻欢的命已在我们掌握之中，只要帮主愿意，晚辈随时可将他奉上。”

上官金虹又沉默了下来。

过了很久很久，等到他炽热的目光又冷漠，他才淡淡道：“李寻欢何足道哉？我根本就从未将他放在眼里。”

龙小云道：“既是如此，晚辈告退。”

他再也不说第二句话，长长一揖，转过身走了出去。

他走得很慢，却绝未回头。

上官金虹也没有再瞧他一眼。

龙小云慢慢地走到门口，拉开了门。

上官金虹突然道：“慢着。”

龙小云目中露出一丝得意之色，但等他回过头时，目光已又变得恭谨而呆滞，躬身道：“帮主还有何吩咐？”

上官金虹并没有看他，只是凝视着案前的烛火，缓缓道：“你想以李寻欢的命来换什么？”

龙小云道：“家父久慕帮主声名，只恨无缘识荆。”

上官金虹冷冷道：“这是废话，我只想听你要求的是什么？”

龙小云道："家父但求能在天下英雄面前，与帮主结为八拜之交。"

上官金虹目中突又射出怒火，但瞬即平息，淡淡道："看来龙啸云倒也不愧是个聪明人，只可惜这件事却做得太笨了。"

龙小云道："这种做法的确很笨，但最笨的法子，往往最有效。"

上官金虹道："你有把握这交易能谈成？"

龙小云道："若无把握，晚辈何必冒死而来？"

上官金虹道："龙啸云只有你这一个独子，是么？"

龙小云道："是。"

上官金虹道："既是如此，他就不该要你来的。"

龙小云道："这只因若是换了别人前来，根本无法见到帮主之面。"

上官金虹道："你们本是交易的买主，但你一来，情况就变了。"

龙小云道："帮主认为可以用我来要挟家父，逼他交出李寻欢来？"

上官金虹道："正是如此。"

龙小云忽然笑了笑，道："帮主素有知人之明，但对家父，却看错了。"

上官金虹冷笑道："难道他宁可让我杀了你，也不肯交出李寻欢？"

龙小云道："正是。"

上官金虹道："难道他不是人？"

龙小云道："是人，但人却有很多种。"

上官金虹道："他是哪一种？"

龙小云道："家父和帮主正是同样的一种人，为了达到目的，不择一切手段，也不惜牺牲一切。"

上官金虹的嘴闭上了，闭成一条线。

过了很久，他才缓缓道："近二十年来，已没有人敢在我面前说这种话了。"

龙小云道："就因为帮主是这种人，是以晚辈才敢说这种话，也只有这种话，才能打动帮主这种人。"

上官金虹盯着他，道："我若不答应，你们难道就要放了李寻欢？"

龙小云道："是。"

上官金虹冷笑道："你不怕他杀了你们复仇？"

龙小云道："他是另一种人，绝不会做这种事的。"

他笑了笑，接着道："他若会做这种事，遭遇也不会有今日之悲惨。"

上官金虹厉声道："你们纵然放了他，又怎知我不能亲手杀他？"

龙小云淡淡道："小李飞刀，例不虚发。"

上官金虹道："你认为连我也躲不过他的那一刀？"

龙小云道："至少帮主并没有十分的把握，是么？"

上官金虹道："哼。"

龙小云道："千金之子，坐不垂堂。以帮主现在的身份地位，又何必冒这个险？"

上官金虹的嘴又闭上。

龙小云道："何况，家父武功虽不甚高，但声望地位，心计机智，都不在别人之下，帮主与他结为兄弟，也是有利而无害的。"

上官金虹又沉默半晌，忽然问道："李寻欢也是他的兄弟，是么？"

龙小云道："是。"

上官金虹冷笑道："他既能出卖了李寻欢，又怎知不会出卖我？"

龙小云笑了笑，道："因为帮主不是李寻欢。"

这种话说得很简单，也很尖锐。

上官金虹突然纵声而笑，道："不错，龙啸云就算有胆子敢出卖我，也没有那么大的本事。"

龙小云道："帮主答应了？"

上官金虹骤然顿住笑声，道："我怎知李寻欢已在你们掌握之中？"

龙小云道："只要帮主发出请帖，邀请天下英雄来参与家父与帮主结拜之盛典……"

上官金虹道："你认为他们敢来？"

龙小云微笑道："来不来都不重要，只要大家都知道这件事就行了。"

上官金虹冷笑道："你考虑得倒很周到。"

龙小云道："这件事帮主也许还要考虑，晚辈就落脚在城中的如云客栈，等候帮主的消息。"

他慢慢地接着又道："只要帮主请帖发出，有人收到，晚辈随时都可将李寻欢带到帮主这里来。"

上官金虹道："带到这里来……哼，你父子只怕还没有这么大的本事。"

龙小云道："这点晚辈自然也知道，连少林心眉大师和田七爷都做不到的事，晚辈自然更做不到了，只不过……"

上官金虹道："不过怎样？"

龙小云道："一路上若有荆先生护送，就可万无一失了。"

上官金虹沉吟着，还未说话。

荆无命突然道："我去。"

龙小云面上初次露出喜色，一揖到地，道："多谢。"

上官金虹又默然良久，忽然问道："你武功已被废，永难复愈，下手的人是李寻欢？"

龙小云苍白的面色一下子又变为铁青，垂下头，道："是。"

上官金虹盯着他的脸，一字字问道："你恨他？"

龙小云的拳已握，沉默了很久，终于又回答了一个字："是。"

上官金虹道："其实你非但不该恨他，还该感激他才是。"

龙小云愕然抬头，道："感激？"

上官金虹冷冷道："若非他已废去你的武功，今日你已死在这里。"

龙小云的头又垂下。

上官金虹道："你小小年纪，已如此阴沉狠毒，不出二十年，就可与我争一日之雄长，若非你已残废，我怎么能放过你？"

龙小云紧咬着牙，牙根已出血。

但他的头始终未曾抬起。

第五十五章

荡 妇

黑暗。

黑暗中有人在呻吟，喘息……

然后一切声息都沉寂。

过了很久很久，有女人的声音轻轻道：“有时我总忍不住想要问你一句话。”

这女人声音甜笑而娇弱，男人若想抵抗这种声音的诱惑魅力，只有变成聋子。

一个男人的声音道：“你为什么不问？”

这男人的声音很奇特：你在很近的地方听他说话，声音却像是来自很遥远之处；你在很远的地方听，声音却仿佛近在耳畔。

女人道：“你究竟真的是个人，还是铁打的？”

男人道：“你感觉不出？”

女人的声音更甜腻，道：“你若真是个人，为什么永远不会累？”

男人道：“你受不了？”

女人吃吃地笑着，道：“你认为我会求饶？你为何不再试试？”

男人道：“现在不行！”

女人道：“为什么？”

男人道：“因为现在我要你去做一件事。”

女人道：“无论你要我做什么，我都答应。”

男人道：“好，你现在就去杀了阿飞。”

女人似乎怔住，过了半晌，才叹了口气，道：“我早就对你说过，现在还没有到杀他的时候。”

男人道：“现在已到了。”

女人似又愣了愣，道："为什么？难道李寻欢已死了？"

男人道："虽还未死，已离死不远。"

女人道："他……他现在哪里？"

男人道："已在我掌握之中。"

女人笑了，道："这几天，我几乎天天晚上跟你在一起，你用什么法子将他抓来的？难道你会分身术？"

男人道："我要的东西，用不着我自己动手，自然会有人送来。"

女人道："谁送来的？谁有那么大的本事能抓住李寻欢？"

男人道："龙啸云。"

女人似又吃了一惊，然后又笑了，道："不错，当然是龙啸云，只有李寻欢的好朋友，才能害得了李寻欢，若想打倒他，无论用什么样的兵器都很困难，只能用情感。"

男人冷冷道："你倒很了解他。"

女人笑道："我对敌人一向比朋友了解得清楚，譬如说……我就不了解你。"

她立刻改变了话题，接着道："我也很明白龙啸云的为人，他绝不会平白无故将李寻欢送来给你。"

男人道："哦？"

女人道："他不愿自己杀死李寻欢，所以才借刀杀人。"

男人道："你认为他只有这目的？"

女人道："他还想怎样？"

男人道："他还要我做他的结拜兄弟。"

女人叹了口气，道："这人倒真会占便宜，可是你……你难道答应了他？"

男人道："嗯。"

女人道："你难道看不出他是想利用你？"

男人道："哼。"

他突又冷笑了一声，道："只不过他想得未免太天真了些。"

女人道："天真？"

男人道："他以为做了我的结义兄弟，我就不会动他了，其实，莫说结义兄弟，就算亲兄弟又如何？"

女人娇笑道："不错，他可以出卖李寻欢，你自然也可以出卖他。"

男人道："龙啸云在我眼中虽一文不值，但他的儿子，却真是个厉害角色。"

女人道："你见过那小鬼？"

男人道："这次龙啸云并没有来，是他儿子来的。"

女人又轻轻叹了口气，道："不错，那孩子的确是人小鬼大。"

男人沉默了半晌，忽然道："好，你走吧。"

女人道："你不想我多留一会儿？"

男人道："不想。"

女人幽幽道："别的男人跟我在一起，总舍不得离开我，多陪我一刻也是好的，只有你，每次只要一做完事，你就赶我走。"

男人冷冷道："因为我既不是别的男人，也不是你的朋友，我们只不过是在互相利用而已，既然我们心里都很明白，又何必还虚情假意，肉麻当有趣？"

屋子里很暗，屋子外面却有光。

淡淡的星光。

星光下木立着一个人，守候在屋子外，一双死灰色的眼睛茫然地注视着远方，整个人看来就像是用一块灰石刻出来的。

但现在，这双死灰色的眼睛中却带着种无法形容的痛苦之色。

他简直无法再站在这里。

他无法忍受屋子里发出的那些声音。

但他必须忍受。

他这一生，只忠于一个人——上官金虹。

他的生命，甚至连他的灵魂都是属于上官金虹的。

门开了。

一条窈窕的人影悄悄来到他身后。

星光映上她的脸，清新、美丽、纯真，无论谁看到她，都绝对想不到她方才做过了什么事。

仙子的外貌，魔鬼的灵魂——除了林仙儿还有谁？

荆无命没有回头。

林仙儿绕到他面前，脉脉地凝视着他。

她的眼波温柔如星光。

荆无命仍然凝视着远方，似乎眼前根本没有她这个人存在。

林仙儿的纤手，搭上了他的肩，慢慢地滑上去，轻抚着他的耳背——她知道男人身上所有敏感的部位。

荆无命没有动，似已麻木。

林仙儿笑了，柔声道："谢谢你，在外面为我们守护，只要知道有你在外面，我就会有种安全感，无论做什么事都愉快得很。"

她忽又附在他耳边，悄悄道："我还要告诉你个秘密，他年纪虽然大，却还是很强壮，这也许是因为他的经验比别人丰富。"

她银铃般娇笑着，走了。

荆无命还是没有动，但身上的每一根肌肉都已在颤抖。

如云客栈是城里最大、最昂贵的客栈，也是最花钱的客栈。

你若住在这客栈里，只要你有足够的钱，根本用不着走出客栈的门，就可以获得一切最好的享受。

在这里，只要你开口，就有人会将城里最好的菜、最出名的歌妓、最美的女人送到你屋里来。

在这里，白天每间屋子里的门都是关着的，几乎听不到任何声音。

但一到了晚上，每扇门都开了。

最先你听到的是漱洗声，吆喝伙计声，送酒菜来时的谢赏声，女人们娇笑着唤"张大爷、王三爷"的请安声。

然后，就是猜拳行令声，碰杯声，少女们吃吃的笑声和歌声，男人们的吹牛声，掷骰子声……

在这里，一到了晚上，你几乎就可以听到世上所有不规矩的声音。

只有一间屋子，却从没有声音。

有的只是偶尔传出的一两声短促的女人呻吟、哀唤声。

这屋子的门也始终是关着的。

每天黄昏时，都会有人将一个小姑娘送进去，这些小姑娘当然都很美，而且很年轻，很娇小。

她们进去的时候，当然都打扮得漂漂亮亮，干干净净，而且脸上当然都带着笑，纵然是被训练出来的职业性笑容，但呈现在少女们的脸上，看来就非但不会令人讨厌，而且还相当动人。

但等到第二天早上她们走出这屋子的门时，情况就不同了。

本来整整齐齐的头发，到这时已蓬乱，甚至还被扯落了些，本来很明亮的一双眼睛，已变得毫无神采，连眼眶都陷了下去。

本来充满了青春光彩的脸，也已憔悴，而且还带着泪痕。

七天，七天来都如此。

开始时，还没有人注意，但后来大家都觉得有些奇怪了。

出来寻欢作乐的人，对这种事总是特别留意的。

大家都在猜测："这屋子里究竟是什么人？如此厉害？"

大家都在想："这一定是个彪形大汉，强壮如牛。"

于是大家开始打听。

打听出来的结果，使每个人都大吃一惊。

"原来这屋子里的人，只不过是个发育不全的小孩子！"

于是大家更好奇，有的人就将曾经到过那屋子的小姑娘招来问。

只要一问到这件事，小姑娘们就会发抖，眼泪就开始往下流，无论如何也不肯再提起一个字。

被问得急了，她们只有一句话："他不是人……他不是人……"

又是黄昏。

这屋子的门仍是关着的。

对着门有扇窗子，一个脸色发白的孩子坐在窗子前，目光茫然望着窗外的一株梧桐，已有很久很久没有移动。

他的目光虽呆滞，但却不时会闪动出一丝狡黠而狠毒的光。

龙小云。

桌子上的酒菜，却几乎没有动过。

他吃得很少，他在等，等更大的享受，对于"吃"他一向不感兴趣，他认为一个人吃得若太多，脑袋就会被塞住。

终于有了敲门声。

龙小云并没有回头，只是冷冷道："门是开着的，你自己进来。"

门开了，脚步声很轻，很慢。

来的显然又是个很娇小的女孩子，而且还带着七分畏怯。

这正是龙小云所喜欢的那种女孩子。

因为他很弱，所以他喜欢做“强者”，也只有在这种女孩子面前，他才会觉得自己是个强者。

脚步声在桌子旁停下来。

龙小云道：“带你来的人，已跟你说过价钱了么？”

那女孩子道：“嗯。”

龙小云道：“这价钱比通常高两倍，是不是？”

那女孩子道：“嗯。”

龙小云道：“所以你就该听我的话，绝对不能反抗，你懂不懂？”

那女孩子道：“嗯。”

龙小云道：“好，你先把衣服脱下来，全脱下来。”

那女孩子沉默了很久，忽然道：“我脱衣服的时候，你不看？”

声音美得出奇，甜得出奇。

龙小云仿佛愣了愣。

那女孩子柔声笑着，道：“看女孩子脱衣服，也是种享受，你为什么放弃？”

龙小云似已觉得有什么不对了，骤然回头。

然后他整个人都怔住。

来的这“女孩子”，竟是林仙儿！

林仙儿脸上仍带着仙子般的笑容。

龙小云的脸却已僵木。

但那也只不过是短短一刹那间的事，他瞬即笑了，站起来，笑道：“原来是林阿姨在开小侄的玩笑。”

林仙儿笑得更妩媚，道：“到现在你还要叫我阿姨？”

龙小云赔笑，道：“阿姨总是阿姨。”

林仙儿眼波流动，瞟着他道：“但现在你已是大人了，是吗？”

她轻轻叹了口气，悠悠接着道：“才两三年不见，想不到你长得这么快。”

龙小云很巧妙地避开了这句话，道：“这两三年来，我们始终打听不出阿姨你的消息，一直都想念得很。”

林仙儿嫣然道：“但我却听说过你许多事，听说……你对女孩子，比大多数年纪比你大的男人都强得多。”

龙小云垂下头，却忍不住笑了，道：“但阿姨面前，我还是个孩子。”

林仙儿瞪起了眼，娇嗔道：“你还叫我阿姨，难道我真的那么老了？”

龙小云忍不住抬起头。

林仙儿就站在他面前，随随便便地站着，但那种风情，那种神采，那种说不出的诱惑，一千万个女人中也找不出一个。

龙小云呆滞的眼睛发了光。

林仙儿咬着嘴唇，道：“听说你喜欢的都是小姑娘，而我……我却是个老太婆了。”

龙小云只觉自己的心在跳，忍不住道：“你一点也不老。”

林仙儿道：“真的？”

龙小云垂下头，道：“若有人说你老了，那人不是呆子，就是瞎子。”

林仙儿媚笑道：“你瞎不瞎？呆不呆？”

龙小云当然不瞎，更不呆。

林仙儿离开他的时候，竟也似觉得很痛苦。

这“孩子”既不是孩子，也不是瞎子，更不是呆子，只不过是个疯子。

可怕的疯子。

连林仙儿都没有遇到过这样的疯子。

但她目中，却闪动着一种得意愉快的光芒。

她毕竟还是得到了她所想得到的消息。

对男人，她从没有失败，无论那男人是呆子，是君子，还是疯子。

天虽已亮了，对面的屋子里却还有人在喝酒。

一个人正在大声笑着，道：“喝酒要就不喝，要喝就喝到天亮、喝到躺下去为止……”

这句话他并没有说完，好像已经躺了下去。

听到这句话，林仙儿忽然想起了一个人。

她仿佛又听到那人的咳嗽声。

想起了这个人，她就恨。

因为她知道她纵然可以征服世上所有的男人，却永远也得不到他。

因为她得不到他，所以一心只想毁了他。

她得不到的，也不愿别人得到。

她咬着牙，在心里说：

“我虽然想你死，但现在却不能让你死，尤其不能让你死在上官金虹手上，否则这世上，就再也没有什么能令他顾虑的了。

“但总有一天，我要叫你死在我手上，慢慢地死……慢慢地……”

第五十六章

出鞘剑

剑。

一柄很薄的剑，很轻，连剑柄都是用最轻的软木夹上去。

没有剑锷护手。

因为他的剑刺出，没有人能削到他的手。

无论任何兵器，都可将这柄剑击断。

但他的剑刺出，没有人能挡得住。

这是柄很奇特的剑，世上只有一个人能用这种剑，敢用这种剑。

剑，就放在床边的矮桌上，和一套很干净的青布衣服放在一起。

阿飞醒来时，第一眼就看到了这柄剑。

他的眼睛立刻发了光。

看到了这柄剑，就好像看到了他久别重逢的爱侣，多年未见的好友一样，他心里仿佛骤然觉得有一阵热血上涌。

慢慢地伸出手，取剑。

他的手甚至已有些颤抖。

但等到他手指接触到那薄而锋利的剑锋时，就立刻稳定下来。

他轻抚着剑锋，目光似乎变得很遥远……很遥远……

他的心似已到了远方。

他想起第一次使用剑的时候，想起鲜血随着他剑锋滴落的情况，想起那许许多多死在他剑下的人——可恶的人。

他的血已沸腾。

那段时候虽然充满了不幸和灾难，但却是多彩的、辉煌的。

“快意恩仇”，这四字是何等豪壮。

但那毕竟都已过去，过去了很久。

他已答应过他最心爱的人，永远将以前的事忘记。

现在的生活虽平淡，甚至有些寂寞，但那又有什么不好，能平静安详地度过一生，岂非正是世上大多数人的希望？

没有脚步声，林仙儿已出现在门口。

她看来虽有些疲倦，有些憔悴，但笑容仍如春花般鲜美清新。

无论牺牲了什么，只要每天能看到这春花般的笑容，就可以补偿一切。

阿飞立刻放下了剑，笑道：“今天你可比我起得早，我好像愈来愈懒了。”

林仙儿没有回答这句话，却反问道：“你喜不喜欢这柄剑？”

阿飞也没有回答这句话，因为他不能说实话，又从不说谎。

林仙儿道：“你可知道这柄剑是哪里来的？”

阿飞道：“不知道。”

林仙儿慢慢地走过去，坐在他身旁道：“这是我昨天晚上特地替你去找人铸的。”

阿飞显得很吃惊，道：“你？”

林仙儿取起剑，柔声道：“你看，这柄剑是不是和你以前使用的一样？”

阿飞沉默。

林仙儿道：“你不喜欢？”

阿飞又沉默了很久，才问道：“你为什么要替我做这柄剑？”

林仙儿道：“因为我要你用它！”

阿飞的身子似乎有些僵木，道：“你……你要我去杀人？”

林仙儿道：“不是杀人，是救人！”

阿飞道：“救人？救谁？”

林仙儿道：“你生平最好的朋友……”

这句话还未说完，阿飞已跳了起来，失声道：“李寻欢？”

林仙儿默默地点了点头。

阿飞苍白的脸已发红，道：“他在哪里，又出了什么事？”

林仙儿拉着他的手，柔声道：“你先坐下来，慢慢地听我说，这种事着急也没有用。”

阿飞长长吸了口气，终于坐下。

林仙儿道："这世上除了你之外，还有四个最厉害的高手，你知道是谁？"

阿飞道："你说。"

林仙儿道："第一个自然是天机老人，第二个上官金虹，当然李寻欢李大哥也不会比他们差。"

阿飞道："还有一个呢？"

林仙儿叹了口气道："这人叫荆无命，年纪最轻，也最可怕。"

阿飞道："最可怕？"

林仙儿道："因为他根本不是人，没有人性，他一生最大的目的是杀人，最大的享受也是杀人，除了杀人外，他什么都不懂，也不想去懂。"

阿飞的眼睛里闪着光，道："他用的兵器是什么？"

林仙儿放下那柄剑道："是剑。"

阿飞的手不由自主地握起了剑，握得很紧。

林仙儿道："据说，他的剑法和你同样辛辣，也同样快。"

阿飞道："我不懂剑法，我只懂如何用剑刺入仇人的咽喉。"

林仙儿道："这就是剑法，无论什么样的剑法，最后的目的都是这样的。"

阿飞道："你的意思是说……李寻欢已落到这人手上？"

林仙儿叹息着道："不但他，还有上官金虹……但上官金虹也许不会在那里，你只要对付他一个人。"

她不让阿飞说话，很快接着又道："没有见过这人的，永远不知道这人有多可怕。你的剑也许比他快，可是，你是人……"

阿飞咬着牙，道："我只想知道这人现在在哪里？"

林仙儿轻抚着他的手，道："我本不愿你再使剑，再杀人，更不愿你去冒险，可是为了李大哥……我……我不能不让你去，我不能那么自私。"

阿飞瞧着她，目中充满了感激。

林仙儿目中已有眼泪流下，垂着头，道："我可以答应你，告诉你如何去找他，可是你……你也得答应我一件事。"

阿飞道："你说。"

林仙儿将他的手握得很紧，带泪的眼泪凝视着他，一字字道："你一定要答应我，你一定要回来，我永远在等着你……"

车厢很大。

龙小云坐在角落里，瞧着面前的一个人。

这人是站着的。

乘车时，他竟也不肯坐下。

无论马车颠簸得多剧烈，这人始终笔直地站着，像一杆枪。

龙小云从未见过这种人，甚至无法想象世上会有这种人。

他本觉得世上大多数人都是呆子，都可被他玩弄于股掌之上。

但也不知为了什么，在这人面前，他心里竟带着几分畏惧。

只要有这人在，他就会觉得有一股不可形容的杀气。

但他却又很得意。

他所要求的，上官金虹都已答应。

英雄帖已发出，已有很多人接到，结义的盛典，定在下月初一。

现在，有荆无命和他同去，李寻欢必死无疑。

他想不出世上还有什么人能救得了李寻欢。

他吐了口气，闭起眼睛，眼前立刻泛起了一张甜而美的笑脸，正躺在他怀里，对他低低蜜语："你真的已不再是个孩子了，你懂得的事比任何人都多，我真想不出，这些事你是从哪里学来的？"

想到这里，龙小云面上不禁露出了微笑。

"有些事是根本不必学的，到了时候，自然就会知道。"

他觉得自己的确已是个大人了。

这种感觉已足以令大多数还未真的长大的少年陶醉。

孩子拼命想装成大人的模样，老人拼命想让别人觉得他孩子气——这也是人类许多种无可奈何的悲哀之一。

若是换了别人，想到这里既已陶醉，就不会再想下去。

但龙小云想得却更深一层："她为什么要这样对我？"

"是不是为了要打听李寻欢的下落？"

想到这里，他就清醒了很多："她为什么要打听李寻欢的下落？"

“难道她想救李寻欢？”

这当然绝无可能，龙小云也知道林仙儿对李寻欢的痛恨，也知道她曾经设计要上官金虹和荆无命杀死李寻欢。

“那么，她是为了什么？”

他无法再想下去，因为他想不通。

他不知道现在情况已变了，那时林仙儿虽然想借上官金虹之手杀死李寻欢，但现在情况却变得更微妙。

她若想和上官金虹保持均衡的局势，就不能让李寻欢和阿飞两个人死。

否则上官金虹就会踩在她头上，因为上官金虹自己已露出了口风，他的意思她已经非常了解：“我就是我，既不是荆无命，也不是阿飞，我们只不过是在互相利用而已，等到这利用的价值消失，就可以再见。”

江湖风云的变化，正和女人的心一样，绝不是任何人所能猜透的。

车马在城市中心最繁华热闹的地区中停下，停在一家气派很大的绸缎庄门口。

李寻欢就被藏在这里么？

龙啸云父子果然不愧为厉害人物，很了解“小隐隐于山，大隐隐于市”这句话，知道最热闹的地方，愈容易避人耳目。

龙小云站起来，赔笑道：“请。”

荆无命道：“你先走。”

到现在为止，他只跟龙小云说了这一句话。

他不愿走在别人前面，不愿有任何人跟在他的身后。

他们在掌柜的和店伙们的奉迎礼笑中穿过店铺。

后面就是堆存绸缎的仓库。

李寻欢被藏在绸缎仓库里么？这倒真是个好地方。

但龙小云还是没有停留，又走了过去。

再后面就是后门。

后门外也停着同样一辆马车。

龙小云这次并没有再说什么，向荆无命躬身一礼，就上了车。

原来李寻欢并没有被藏在这里。

龙小云这样做，只不过是躲避追踪的烟幕。

这父子两人想得比任何人都更深一层。

马车自后街转出，颠向郊外。

然后就停在郊外的一家米仓前，但这米仓也不是囚禁李寻欢的地方。

他们在这米仓后门，又换了次车。

这次换的是辆运米进城的牛车。米包堆中，只有两人容身之地。

龙小云赔笑道："委屈了。"

荆无命连一个字都没有说。

牛车又驰回市区。

他们不但计划周密，行动迅速，路线的转变，更出人意料。

就算是以追查贼踪名震黑道的九城名捕、人称"九鼻狮子狗"的万无失，追到这里，也万万追不下去了。

龙小云也知道荆无命绝不会夸赞他的，只不过希望他面上能多少露出一丝赞美的神色。

做了得意事的人得不到别人夸赞，就好像穿了最得意的衣服的女人去会见情人时，她的情人连瞧都没有瞧她衣服一眼。

尤其龙小云毕竟还没有完全长大。

在男人们眼中，孩子和女人的心理往往差不多。

荆无命脸上偏偏连一点表情也没有。

牛车转入一条幽静的长街，这条街只有七户人家。

这七户人家不是王侯贵胄，就是当朝大员。

走上这条街，其中有一家的偏门突然开了。

牛车竟直驰而入。

这一家谁都知道是当今清流之首、左都御史樊林泉的居处。

江湖豪杰绝不可能和这种当朝政要搭上关系。

李寻欢难道会被藏在这里？

这简直绝无可能。

但站在大厅石阶上含笑相迎的，却偏偏是龙啸云。

荆无命一下牛车，龙啸云就迎了上去，长揖含笑道："久闻荆先生大名，今日得见，快慰平生，只因此行必须避人耳目，是以有失远迎，恕罪恕罪。”

荆无命死灰色的眼睛只是凝视着自己的手，连瞧都没有瞧他一眼。

龙啸云还是笑容满面，道：“堂上已摆了接风之酒，但请荆先生喝两杯，稍涤征尘。”

荆无命站着，动也不动，只是冷冷道：“李寻欢就在这里？”

龙啸云笑道：“这里本是樊林公的寓所，只因樊老先生日前突然动了游兴，皇上也特别恩准给假三月。”

说到这里，他面上不禁露出了得意之色，接着道：“樊林公独居终生，他老人家既已出游，这里的管家又恰好是在下的好友，是以在下才有机会借这地方一用。”

说穿了，他能借得到这地方并不稀奇，因为“有钱能令鬼推磨”，但别人却的确是永远想不到的。

这也实在难怪龙啸云得意。

荆无命还是在凝视自己的手，突然道：“你以为没有人能追踪到这里？”

龙啸云脸色变了变，瞬即笑道：“若是真的有人能追踪到这里，在下情愿向他叩头为礼，以示敬意。”

荆无命冷冷道：“好，你准备叩头吧。”

龙啸云笑道：“若是……”

只说了这两个字，他面上的笑容突然冻结。

龙小云随着他父亲的目光转首瞧了过去，苍白的脸色也发了青。

墙角站着一个人。

这人不知什么时候来的，也不知哪里来的。